CARRÉS CLASSIQUES

Collection COLLÈGE dirigée par
Cécile de Cazanove
Agrégée de Lettres modernes

Maupassant

4 nouvelles normandes

XIXe siècle
anthologie

Édition présentée par
Véronique Joubert-Fouillade
Agrégée de lettres modernes

Sommaire

Avant la lecture

Lire 4 nouvelles normandes

ISBN : 978-2-09-188432-5

Après la lecture

Autre lecture

Dossier central images en couleur

Avant la lecture

Qui êtes-vous, Guy de Maupassant ?

Où se passe votre enfance ?

Je suis né en 1850 près de Dieppe en Normandie; mon enfance heureuse avec ma mère et mon frère Hervé à Étretat se passe à parcourir « en poulain échappé » la campagne normande. À 13 ans, après un court séjour au lycée impérial Napoléon à Paris, je reviens étudier à l'institut ecclésiastique d'Yvetot, où je ne me plais pas. Je ne retrouve ma joie de vivre que pendant mes vacances sur la côte normande, entre balades en mer et promenades dans la campagne. Je termine mes années de lycée à Rouen, où je fais la connaissance de **Gustave Flaubert**, écrivain déjà très connu à l'époque et ami de ma mère. J'assiste à des réunions littéraires chez lui et, sous son influence, je me mets à écrire.

« Sous l'influence de Flaubert, je me mets à écrire. »

Que faites-vous en 1870 ?

Après mon baccalauréat, je vais étudier le droit à Paris. La France déclare la guerre à la Prusse en juillet 1870. J'ai 20 ans et je m'engage comme garde mobile. J'assiste à la débâcle française devant l'armée ennemie. Pendant l'hiver 1870-1871, après la capitulation de Sedan, je fais l'expérience de **l'occupation prussienne** en Normandie. Cette période me marque profondément. Les paysans rencontrés dans mon enfance et les souvenirs de guerre seront pour moi une continuelle source d'inspiration.

À la fin de la guerre, je travaille successivement dans deux ministères, mais je déteste la vie de bureau. Je préfère canoter, fréquenter les guinguettes des bords de Seine, revenir en Normandie et surtout écrire. Flaubert me donne des conseils, corrige mes premiers essais. Observer la réalité d'un œil neuf, être original, travailler sans relâche : tels sont ses conseils. J'écris des poèmes, de petites pièces de théâtre et des contes.

Comment êtes-vous devenu écrivain ?

Un autre romancier célèbre, Émile Zola, m'encourage et je publie en 1880 la nouvelle *Boule de suif* dans un recueil collectif qu'il dirige. Ma vie change brusquement car le succès est immédiat ; ma vocation de conteur est née. En onze années, je publie environ **trois cents nouvelles**, d'abord dans les quotidiens, puis en recueils : *La Maison Tellier, Les Contes de la bécasse*. Mon secret ? Je m'inspire de mes observations et de mes souvenirs. Mon ironie peut être cruelle, mais je suis capable de pitié et de tendresse aussi. Mes romans *Une vie* et *Bel-Ami* rencontrent le succès.

Quelle vie menez-vous, une fois célèbre ?

Je mène désormais une vie brillante, mes conquêtes féminines sont nombreuses ; je fais des croisières en Méditerranée. J'aime par-dessus tout prendre la mer sur mon yacht, le *Bel-Ami*. Je retourne régulièrement à Étretat, et serais heureux sans mes ennuis de santé.

Dès 1876, de violentes migraines me font atrocement souffrir, aggravées au fil des années par des attaques nerveuses et des crises de mélancolie. Je suis hanté par une présence mystérieuse et hostile, un double que je mets en scène dans *Le Horla* en 1887. La mort me terrifie et **la folie**, héréditaire dans ma famille, me guette. ■

« Je suis hanté par une présence mystérieuse et hostile. »

Guy de Maupassant est mort en 1893, après plusieurs mois d'internement en asile psychiatrique.

La France au temps de Maupassant

◆ Le siècle des révolutions

Les révolutions successives de 1830 et 1848 ont fait naître l'espoir, vite déçu, de valeurs nouvelles. **Louis-Philippe**, qui devient « roi des Français » en 1830, consolide les positions de la bourgeoisie ; en 1848, la révolution de février en France, qui instaure la IIe République, est accompagnée d'une vague de révoltes de libération en Europe, appelée « le printemps des peuples ». Mais en France, les élections ramènent au pouvoir les conservateurs, effrayés par les idées révolutionnaires. Après une répression sanglante, **Louis Napoléon Bonaparte**, neveu de Napoléon Ier, est élu président, puis se proclame empereur en 1851 : c'est le second Empire. La défaite française contre la Prusse, lors de la guerre de 1870, met fin à ce régime, et la IIIe République est proclamée. Une révolte populaire, la Commune de Paris, puis les résistances des conservateurs, prônant le retour de « l'Ordre moral », retarderont l'établissement de la République en France, jusqu'au retour au calme à partir de 1875.

« La France perd la guerre contre la Prusse. »

Année	Maupassant	Événements
1850	Naissance de Maupassant	
1852		Second Empire. Napoléon III
1857		Flaubert, *Madame Bovary*. Baudelaire, *Les Fleurs du mal*
1862		Hugo, *Les Misérables*
1868	Rencontre avec Gustave Flaubert	
1870		juillet : déclaration de guerre de la France à la Prusse. septembre : défaite de Sedan. IIIe République
1877		Zola, *L'Assommoir*
1880	*Boule de suif*	Mort de Gustave Flaubert

◆ Le réalisme et la peinture sociale

Certains écrivains veulent être les témoins lucides de leur temps. Dès 1830, avec Balzac et Stendhal, puis avec Flaubert, Maupassant et Zola, le roman entre dans l'ère du **réalisme**. Ce courant cherche à représenter le réel à partir d'observations minutieuses et méthodiques. Les mondes paysan et ouvrier vont lentement conquérir une place de choix dans les romans et les nouvelles. La littérature va ainsi refléter les transformations profondes de la société. L'écrivain témoigne, commente, dénonce parfois un monde où progrès scientifique et richesse ne profitent pas à tous, où les apparences cachent parfois une sordide réalité, où les rapports humains sont dominés par l'intérêt et l'inégalité. ■

« Les écrivains, témoins lucides de leur temps »

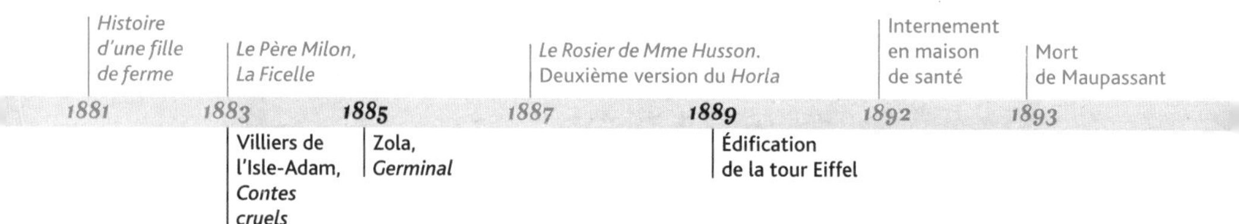

Illustration pour *Les Contes de la bécasse*, XIXᵉ siècle.

Lire

Histoire d'une fille de ferme

1881

texte intégral

Qui sont les personnages ?

Rose

Servante vaillante, elle travaille durement et croit aux promesses de mariage de Jacques, un valet de ferme.

➨ *Abandonnée alors qu'elle est enceinte, comment va-t-elle s'en sortir ?*

Jacques

Ce garçon de ferme séduit Rose, mais s'en lasse très vite.

➨ *Pourquoi ne veut-il pas faire face à ses responsabilités ?*

Le maître

Propriétaire de la ferme, veuf et prospère, il désire se remarier pour avoir des enfants.

➨ *Quelle attitude aura-t-il envers Rose ?*

Histoire d'une fille de ferme

I

COMME LE TEMPS ÉTAIT FORT BEAU, les gens de la ferme avaient dîné plus vite que de coutume et s'en étaient allés dans les champs.

Rose, la servante, demeura toute seule au milieu de la vaste cuisine où un reste de feu s'éteignait dans l'âtre sous la marmite pleine d'eau chaude. Elle puisait à[1] cette eau par moments et lavait lentement sa vaisselle, s'interrompant pour regarder deux carrés lumineux que le soleil, à travers la fenêtre, plaquait sur la longue table, et dans lesquels apparaissaient les défauts des vitres. 10

Trois poules très hardies cherchaient des miettes sous les chaises. Des odeurs de basse-cour, des tiédeurs fermentées[2] d'étable entraient par la porte entrouverte ; et dans le silence du midi brûlant on entendait chanter les coqs.

Quand la fille eut fini sa besogne[3], essuyé la table, nettoyé la cheminée et rangé les assiettes sur le haut dressoir[4] au fond près de l'horloge en bois au tic-tac sonore, elle respira, un peu étourdie[5], oppressée[6] sans savoir pourquoi. Elle regarda les murs d'argile noircis, les poutres enfumées du plafond où pendaient des toiles d'araignée, 20 des harengs saurs[7] et des rangées d'oignons ; puis elle s'assit, gênée par les émanations[8] anciennes que la chaleur de ce jour faisait sortir de la terre battue du sol où avaient séché tant de choses répandues depuis si longtemps. Il s'y mêlait aussi la saveur âcre[9] du laitage qui crémait[10] au frais dans la pièce à côté. Elle voulut cependant se mettre

1. Prenait.
2. Lourdes.
3. Son travail.
4. Buffet.
5. Fatiguée.
6. Angoissée.
7. Poissons fumés.
8. Odeurs.
9. Amère.
10. Se couvrait de crème.

à coudre comme elle en avait l'habitude, mais la force lui manqua et elle alla respirer sur le seuil.

Alors, caressée par l'ardente lumière, elle sentit une douceur qui lui pénétrait au cœur, un bien-être coulant dans ses membres.

Devant la porte, le fumier[1] dégageait sans cesse une petite vapeur miroitante[2]. Les poules se vautraient[3] dessus, couchées sur le flanc, et grattaient un peu d'une seule patte pour trouver des vers. Au milieu d'elles, le coq, superbe, se dressait. À chaque instant il en choisissait une et tournait autour avec un petit gloussement d'appel. La poule se levait nonchalamment[4] et le recevait d'un air tranquille, pliant les pattes et le supportant sur ses ailes ; puis elle secouait ses plumes d'où sortait de la poussière et s'étendait de nouveau sur le fumier, tandis que lui chantait, comptant ses triomphes ; et dans toutes les cours tous les coqs lui répondaient, comme si, d'une ferme à l'autre, ils se fussent envoyé des défis amoureux.

La servante les regardait sans penser ; puis elle leva les yeux et fut éblouie par l'éclat des pommiers en fleurs, tout blancs comme des têtes poudrées.

Soudain un jeune poulain, affolé de gaieté, passa devant elle en galopant. Il fit deux fois le tour des fossés plantés d'arbres, puis s'arrêta brusquement et tourna la tête comme étonné d'être seul.

Elle aussi se sentait une envie de courir, un besoin de mouvement et, en même temps, un désir de s'étendre, d'allonger ses membres, de se reposer dans l'air immobile et chaud. Elle fit quelques pas, indécise, fermant les yeux, saisie par un bien-être bestial[5] ; puis, tout doucement, elle alla chercher les œufs au poulailler. Il y en avait treize,

Têtes poudrées

Au XVIIIe siècle, il était d'usage pour les hommes et les femmes du grand monde de poudrer leur visage et leur perruque afin de les blanchir. Cette poudre était faite d'amidon et servait également de parfum.

1. Excréments d'animaux utilisés comme engrais.
2. Scintillante.
3. Se couchaient.
4. Paresseusement.
5. Animal.

qu'elle prit et rapporta. Quand ils furent serrés[6] dans le buffet, les odeurs de la cuisine l'incommodèrent[7] de nouveau et elle sortit pour s'asseoir un peu sur l'herbe. 60

La cour de ferme, enfermée par les arbres, semblait dormir. L'herbe haute, où des pissenlits jaunes éclataient comme des lumières, était d'un vert puissant, d'un vert tout neuf de printemps. L'ombre des pommiers se ramassait en rond à leurs pieds ; et les toits de chaume[8] des bâtiments, au sommet desquels poussaient des iris aux feuilles pareilles à des sabres, fumaient un peu comme si l'humidité des écuries et des granges se fût envolée à travers la paille.

La servante arriva sous le hangar où l'on rangeait les chariots et les voitures. Il y avait là, dans le creux du fossé, un grand trou vert plein de violettes dont l'odeur se répandait, et, par-dessus le talus, on apercevait la campagne, une vaste plaine où poussaient les récoltes, avec des bouquets d'arbres par endroits, et, de place en place, des groupes de travailleurs lointains, tout petits comme des poupées, des chevaux blancs pareils à des jouets, traînant une charrue d'enfant poussée par un bonhomme haut comme le doigt. 70

Elle alla prendre une botte de paille dans un grenier et la jeta dans ce trou pour s'asseoir dessus ; puis, n'étant pas à son aise, elle défit le lien, éparpilla son siège et s'étendit sur le dos, les deux bras sous sa tête et les jambes allongées. 80

Tout doucement elle fermait les yeux, assoupie dans une mollesse délicieuse. Elle allait même s'endormir tout à fait, quand elle sentit deux mains qui lui prenaient la poitrine, et elle se redressa d'un bond. C'était Jacques, le

6. Rangés.
7. La gênèrent.
8. Paille.

garçon de ferme, un grand Picard[1] bien découplé[2], qui la courtisait[3] depuis quelque temps. Il travaillait ce jour-là dans la bergerie, et, l'ayant vue s'étendre à l'ombre, il était venu à pas de loup, retenant son haleine, les yeux brillants, avec des brins de paille dans les cheveux.

Il essaya de l'embrasser, mais elle le gifla, forte comme lui ; et, sournois[4], il demanda grâce. Alors ils s'assirent l'un près de l'autre et ils causèrent amicalement. Ils parlèrent du temps qui était favorable aux moissons, de l'année qui s'annonçait bien, de leur maître, un brave homme, puis des voisins, du pays tout entier, d'eux-mêmes, de leur village, de leur jeunesse, de leurs souvenirs, des parents qu'ils avaient quittés pour longtemps, pour toujours peut-être. Elle s'attendrit en pensant à cela, et lui, avec son idée fixe, se rapprochait, se frottait contre elle, frémissant, tout envahi par le désir. Elle disait :

« Y a bien longtemps que je n'ai vu maman ; c'est dur tout de même d'être séparées tant que ça. »

Et son œil perdu regardait au loin, à travers l'espace, jusqu'au village abandonné là-bas, là-bas, vers le nord.

Lui, tout à coup, la saisit par le cou et l'embrassa de nouveau ; mais, de son poing fermé, elle le frappa en pleine figure si violemment qu'il se mit à saigner du nez ; et il se leva pour aller appuyer sa tête contre un tronc d'arbre. Alors elle fut attendrie et, se rapprochant de lui, elle demanda :

« Ça te fait mal ? »

Mais il se mit à rire. Non, ce n'était rien ; seulement elle avait tapé juste sur le milieu. Il murmurait : « Cré coquin ! » et il la regardait avec admiration, pris d'un respect, d'une affection tout autre, d'un commencement d'amour vrai pour cette grande gaillarde[5] si solide.

1. Natif de Picardie, région du nord de la France.
2. Bien bâti (musclé).
3. Cherchait à la séduire.
4. Hypocrite.
5. Fille vigoureuse.

Photographie du téléfilm *Histoire d'une fille de ferme*, avec Marie Kremer (Rose), France 2, 2007.

Quand le sang eut cessé de couler, il lui proposa de faire un tour, craignant, s'ils restaient ainsi côte à côte, la rude poigne[1] de sa voisine. Mais d'elle-même elle lui prit le bras, comme font les promis[2] le soir, dans l'avenue, et elle lui dit :

« Ça n'est pas bien, Jacques, de me mépriser comme ça. »

Il protesta. Non, il ne la méprisait pas, mais il était amoureux, voilà tout.

« Alors tu me veux bien en mariage ? » dit-elle.

Il hésita, puis il se mit à la regarder de côté pendant qu'elle tenait ses yeux perdus au loin devant elle. Elle avait les joues rouges et pleines, une large poitrine saillante sous l'indienne[3] de son caraco[4], de grosses lèvres fraîches, et sa gorge[5], presque nue, était semée de petites gouttes de sueur. Il se sentit repris d'envie, et, la bouche dans son oreille, il murmura :

« Oui, je veux bien. »

Alors elle lui jeta ses bras au cou et elle l'embrassa si longtemps qu'ils en perdaient haleine tous les deux.

De ce moment commença entre eux l'éternelle histoire de l'amour. Ils se lutinaient[6] dans les coins ; ils se donnaient des rendez-vous au clair de la lune, à l'abri d'une meule de foin, et ils se faisaient des bleus aux jambes, sous la table, avec leurs gros souliers ferrés[7].

Puis, peu à peu, Jacques parut s'ennuyer d'elle ; il l'évitait, ne lui parlait plus guère, ne cherchait plus à la rencontrer seule. Alors elle fut envahie par des doutes et une grande tristesse ; et, au bout de quelque temps, elle s'aperçut qu'elle était enceinte.

Elle fut consternée[8] d'abord, puis une colère lui vint, plus forte chaque jour, parce qu'elle ne parvenait point à le trouver, tant il l'évitait avec soin.

1. Force de la main.
2. Fiancés.
3. La toile de coton.
4. Sa blouse assez large.
5. Poitrine.
6. S'embrassaient.
7. Garnis de fer (pour les renforcer).
8. Désespérée.

Enfin, une nuit, comme tout le monde dormait dans la ferme, elle sortit sans bruit, en jupon, pieds nus, traversa la cour et poussa la porte de l'écurie où Jacques était couché dans une grande boîte pleine de paille au-dessus de ses chevaux. Il fit semblant de ronfler en l'entendant venir; mais elle se hissa près de lui, et, à genoux à son côté, le secoua jusqu'à ce qu'il se dressât.

Quand il se fut assis, demandant: « Qu'est-ce que tu veux? » elle prononça, les dents serrées, tremblant de fureur: « Je veux, je veux que tu m'épouses, puisque tu m'as promis le mariage. » Il se mit à rire et répondit: « Ah bien! si on épousait toutes les filles avec qui on a fauté[9], ça ne serait pas à faire. »

160

Mais elle le saisit à la gorge, le renversa sans qu'il pût se débarrasser de son étreinte farouche[10], et, l'étranglant, elle lui cria tout près, dans la figure: « Je suis grosse[11], entends-tu, je suis grosse. »

Il haletait, suffoquant[12]; et ils restaient là tous deux, immobiles, muets dans le silence noir troublé seulement par le bruit de mâchoire d'un cheval qui tirait sur la paille du râtelier[13], puis la broyait[14] avec lenteur.

170

Quand Jacques comprit qu'elle était la plus forte, il balbutia:

« Eh bien, je t'épouserai, puisque c'est ça. »

Mais elle ne croyait plus à ses promesses.

« Tout de suite, dit-elle; tu feras publier les bans[15]. »

Il répondit:

« Tout de suite.

– Jure-le sur le bon Dieu. »

Il hésita pendant quelques secondes, puis, prenant son parti:

180

9. Fait l'amour hors mariage.
10. Sauvage.
11. Enceinte.
12. S'étouffant.
13. De la mangeoire.
14. Mâchait.
15. Annoncer le mariage.

« Je le jure sur le bon Dieu. »

Alors elle ouvrit les doigts et, sans ajouter une parole, s'en alla.

Elle fut quelques jours sans pouvoir lui parler, et, l'écurie se trouvant désormais fermée à clef toutes les nuits, elle n'osait pas faire de bruit de crainte du scandale.

Puis, un matin, elle vit entrer à la soupe un autre valet. Elle demanda :

190 « Jacques est parti ?

– Mais oui, dit l'autre, je suis à sa place. »

Elle se mit à trembler si fort, qu'elle ne pouvait décrocher sa marmite ; puis, quand tout le monde fut au travail, elle monta dans sa chambre et pleura, la face dans son traversin[1], pour n'être pas entendue.

Dans la journée, elle essaya de s'informer sans éveiller les soupçons ; mais elle était tellement obsédée par la pensée de son malheur qu'elle croyait voir rire malicieusement[2] tous les gens qu'elle interrogeait. Du reste, elle ne put rien

200 apprendre, sinon qu'il avait quitté le pays tout à fait.

II

Alors commença pour elle une vie de torture continuelle. Elle travaillait comme une machine, sans s'occuper de ce qu'elle faisait, avec cette idée fixe en tête : « Si on le savait ! »

Cette obsession constante la rendait tellement incapable de raisonner qu'elle ne cherchait même pas les moyens d'éviter ce scandale qu'elle sentait venir, se rapprochant chaque jour, irréparable, et sûr comme la mort.

1. Oreiller allongé.
2. Méchamment.

Elle se levait tous les matins bien avant les autres et, avec une persistance acharnée, essayait de regarder sa taille dans un petit morceau de glace cassée qui lui servait à se peigner, très anxieuse de savoir si ce n'était pas aujourd'hui qu'on s'en apercevrait.

Et, pendant le jour, elle interrompait à tout instant son travail, pour considérer du haut en bas si l'ampleur[3] de son ventre ne soulevait pas trop son tablier.

Les mois passaient. Elle ne parlait presque plus et, quand on lui demandait quelque chose, ne comprenait pas, effarée[4], l'œil hébété[5], les mains tremblantes ; ce qui faisait dire à son maître :

« Ma pauvre fille, que t'es sotte depuis quelque temps ! »

À l'église, elle se cachait derrière un pilier, et n'osait plus aller à confesse[6], redoutant beaucoup la rencontre du curé, à qui elle prêtait un pouvoir surhumain lui permettant de lire dans les consciences.

À table, les regards de ses camarades la faisaient maintenant défaillir[7] d'angoisse, et elle s'imaginait toujours être découverte par le vacher[8], un petit gars précoce[9] et sournois dont l'œil luisant ne la quittait pas.

Un matin, le facteur lui remit une lettre. Elle n'en avait jamais reçu et resta tellement bouleversée qu'elle fut obligée de s'asseoir. C'était de lui, peut-être ? Mais, comme elle ne savait pas lire, elle restait anxieuse, tremblante, devant ce papier couvert d'encre. Elle le mit dans sa poche, n'osant confier son secret à personne ; et souvent elle s'arrêtait de travailler pour regarder longtemps ces lignes également espacées qu'une signature terminait, s'imaginant vaguement qu'elle allait tout à coup en découvrir le sens. Enfin, comme elle devenait folle

3. La taille.
4. Angoissée.
5. Ahuri, stupéfait.
6. Avouer ses péchés au prêtre pour obtenir le pardon de Dieu.
7. S'évanouir.
8. Le garçon qui soigne les vaches.
9. En avance sur son âge.

240 d'impatience et d'inquiétude, elle alla trouver le maître d'école qui la fit asseoir et lut :

« Ma chère fille, la présente[1] est pour te dire que je suis bien bas[2] ; notre voisin, maître Dentu, a pris la plume pour te mander[3] de venir si tu peux.

Pour ta mère affectionnée[4],
CÉSAIRE DENTU, adjoint. »

Elle ne dit pas un mot et s'en alla ; mais, sitôt qu'elle fut seule, elle s'affaissa au bord du chemin, les jambes rompues[5] ; et elle resta là jusqu'à la nuit.

250 En rentrant, elle raconta son malheur au fermier, qui la laissa partir pour autant de temps qu'elle voudrait, promettant de faire faire sa besogne par une fille de journée et de la reprendre à son retour.

Sa mère était à l'agonie[6] ; elle mourut le jour même de son arrivée ; et, le lendemain, Rose accouchait d'un enfant de sept mois, un petit squelette affreux, maigre à donner des frissons, et qui semblait souffrir sans cesse, tant il crispait douloureusement ses pauvres mains décharnées[7] comme des pattes de crabe.

260 Il vécut cependant.

Elle raconta qu'elle était mariée, mais qu'elle ne pouvait se charger du petit et elle le laissa chez des voisins qui promirent d'en avoir bien soin.

Elle revint.

Mais alors, en son cœur si longtemps meurtri[8], se leva, comme une aurore, un amour inconnu pour ce petit être chétif[9] qu'elle avait laissé là-bas ; et cet amour même était une souffrance nouvelle, une souffrance de toutes les heures, de toutes les minutes, puisqu'elle était séparée de lui.

1. Cette lettre.
2. Je vais très mal.
3. Demander.
4. Qui t'aime.
5. Faibles.
6. Sur le point de mourir.
7. Très maigres.
8. Blessé.
9. Faible.

Ce qui la martyrisait[10] surtout, c'était un besoin fou de l'embrasser, de l'étreindre en ses bras, de sentir contre sa chair la chaleur de son petit corps. Elle ne dormait plus la nuit ; elle y pensait tout le jour ; et, le soir, son travail fini, elle s'asseyait devant le feu, qu'elle regardait fixement comme les gens qui pensent au loin.

On commençait même à jaser[11] à son sujet, et on la plaisantait sur l'amoureux qu'elle devait avoir, lui demandant s'il était beau, s'il était grand, s'il était riche, à quand la noce, à quand le baptême ? Et elle se sauvait souvent pour pleurer toute seule, car ces questions lui entraient dans la peau comme des épingles.

Pour se distraire de ces tracasseries[12], elle se mit à l'ouvrage avec fureur, et, songeant toujours à son enfant, elle chercha les moyens d'amasser pour lui beaucoup d'argent.

Elle résolut de travailler si fort qu'on serait obligé d'augmenter ses gages[13].

Alors, peu à peu, elle accapara la besogne autour d'elle, fit renvoyer une servante qui devenait inutile depuis qu'elle peinait[14] autant que deux, économisa sur le pain, sur l'huile et sur la chandelle, sur le grain qu'on jetait trop largement aux poules, sur le fourrage[15] des bestiaux qu'on gaspillait un peu. Elle se montra avare de l'argent du maître comme si c'eût été le sien et, à force de faire des marchés avantageux, de vendre cher ce qui sortait de la maison et de déjouer les ruses des paysans qui offraient leurs produits, elle eut seule le soin des achats et des ventes, la direction du travail des gens de peine[16], le compte des provisions ; et, en peu de temps, elle devint indispensable. Elle exerçait une telle surveillance autour d'elle, que la ferme, sous sa direction, prospéra[17] prodi-

270 280 290 300

10. Faisait beaucoup souffrir.
11. Médire, parler de manière désagréable.
12. Soucis.
13. Son salaire.
14. Travaillait.
15. La nourriture des animaux.
16. Ouvriers qui faisaient les travaux pénibles dans les fermes.
17. S'enrichit.

gieusement. On parlait à deux lieues[1] à la ronde de la « servante à maître Vallin » ; et le fermier répétait partout : « Cette fille-là, ça vaut mieux que de l'or. »

Cependant, le temps passait et ses gages restaient les mêmes. On acceptait son travail forcé comme une chose due par toute servante dévouée[2], une simple marque de bonne volonté ; et elle commença à songer avec un peu d'amertume[3] que si le fermier encaissait, grâce à elle, cinquante ou cent écus[4] de supplément tous les mois, elle 310 continuait à gagner ses deux cent quarante francs par an, rien de plus, rien de moins.

Elle résolut de réclamer une augmentation. Trois fois elle alla trouver le maître et, arrivée devant lui, parla d'autre chose. Elle ressentait une sorte de pudeur[5] à solliciter[6] de l'argent, comme si c'eût été une action un peu honteuse. Enfin, un jour que le fermier déjeunait seul dans la cuisine, elle lui dit d'un air embarrassé qu'elle désirait lui parler particulièrement. Il leva la tête, surpris, les deux mains sur la table, tenant de l'une son couteau, 320 la pointe en l'air, et de l'autre une bouchée de pain, et il regarda fixement sa servante. Elle se troubla sous son regard et demanda huit jours pour aller au pays parce qu'elle était un peu malade.

Il les lui accorda tout de suite ; puis, embarrassé lui-même, il ajouta :

« Moi aussi j'aurai à te parler quand tu seras revenue. »

1. Une lieue = 4,45 km.
2. Consciencieuse.
3. De regret.
4. Monnaie d'or ou d'argent.
5. Honte.
6. Réclamer.

Photographie du téléfilm *Histoire d'une fille de ferme*, avec Marie Kremer (Rose), France 2, 2007.

III

L'enfant allait avoir huit mois: elle ne le reconnut point. Il était devenu tout rose, joufflu[1], potelé[2] partout, pareil à un petit paquet de graisse vivante. Ses doigts, 330 écartés par des bourrelets de chair, remuaient doucement dans une satisfaction visible. Elle se jeta dessus comme sur une proie, avec un emportement de bête, et elle l'embrassa si violemment qu'il se prit à hurler de peur. Alors elle se mit elle-même à pleurer parce qu'il ne la reconnaissait pas et qu'il tendait ses bras vers sa nourrice[3] aussitôt qu'il l'apercevait.

Dès le lendemain cependant il s'accoutuma[4] à sa figure, et il riait en la voyant. Elle l'emportait dans la campagne, courait affolée en le tenant au bout de ses mains, 340 s'asseyait sous l'ombre des arbres; puis, pour la première fois de sa vie, et bien qu'il ne l'entendît point, elle ouvrait son cœur à quelqu'un, lui racontait ses chagrins, ses travaux, ses soucis, ses espérances, et elle le fatiguait[5] sans cesse par la violence et l'acharnement de ses caresses.

Elle prenait une joie infinie à le pétrir dans ses mains, à le laver, à l'habiller; et elle était même heureuse de nettoyer ses saletés d'enfant, comme si ces soins intimes eussent été une confirmation de sa maternité. Elle le considérait, s'étonnant toujours qu'il fût à elle, et elle se 350 répétait à demi-voix, en le faisant danser dans ses bras: « C'est mon petiot, c'est mon petiot. »

Elle sanglota toute la route en retournant à la ferme, et elle était à peine revenue que son maître l'appela dans sa chambre. Elle s'y rendit, très étonnée et fort[6] émue sans savoir pourquoi.

1. Avec de grosses joues.
2. Grassouillet, dodu.
3. Femme qui l'a allaité.
4. S'habitua.
5. L'énervait.
6. Très.

« Assieds-toi là », dit-il.

Elle s'assit et ils restèrent pendant quelques instants à côté l'un de l'autre, embarrassés tous les deux, les bras inertes[7] et encombrants, et sans se regarder en face, à la façon des paysans. 360

Le fermier, gros homme de quarante-cinq ans, deux fois veuf, jovial[8] et têtu, éprouvait une gêne évidente qui ne lui était pas ordinaire. Enfin il se décida et se mit à parler d'un air vague, bredouillant un peu et regardant au loin dans la campagne.

« Rose, dit-il, est-ce que tu n'as jamais songé à t'établir[9] ? »

Elle devint pâle comme une morte. Voyant qu'elle ne lui répondait pas, il continua :

« Tu es une brave fille, rangée[10], active et économe. 370 Une femme comme toi, ça ferait la fortune d'un homme. »

Elle restait toujours immobile, l'œil effaré, ne cherchant même pas à comprendre, tant ses idées tourbillonnaient comme à l'approche d'un grand danger. Il attendit une seconde, puis continua :

« Vois-tu, une ferme sans maîtresse, ça ne peut pas aller, même avec une servante comme toi. »

Alors il se tut, ne sachant plus que dire ; et Rose le regardait de l'air épouvanté d'une personne qui se croit en face d'un assassin et s'apprête à s'enfuir au moindre 380 geste qu'il fera.

Enfin, au bout de cinq minutes, il demanda :

« Hé bien ! ça te va-t-il ? »

Elle répondit avec une physionomie idiote :

« Quoi, not' maître ? »

Alors lui, brusquement :

7. Immobiles.
8. Gai.
9. Te marier.
10. Sérieuse.

« Mais de m'épouser, pardine[1] ! »

Elle se dressa tout à coup, puis retomba comme cassée sur sa chaise, où elle demeura sans mouvement, pareille
390 à quelqu'un qui aurait reçu le coup d'un grand malheur. Le fermier à la fin s'impatienta :

« Allons, voyons ; qu'est-ce qu'il te faut alors ? »

Elle le contemplait affolée ; puis, soudain, les larmes lui vinrent aux yeux, et elle répéta deux fois en suffoquant :

« Je ne peux pas, je ne peux pas !

– Pourquoi ça ? demanda l'homme. Allons, ne fais pas la bête ; je te donne jusqu'à demain pour réfléchir. »

Et il se dépêcha de s'en aller, très soulagé d'en avoir fini avec cette démarche qui l'embarrassait beaucoup, et
400 ne doutant pas que, le lendemain, sa servante accepterait une proposition qui était pour elle tout à fait inespérée et, pour lui, une excellente affaire, puisqu'il s'attachait ainsi à jamais une femme qui lui rapporterait certes davantage que la plus belle dot[2] du pays.

Il ne pouvait d'ailleurs exister entre eux de scrupules[3] de mésalliance[4], car, dans la campagne, tous sont à peu près égaux : le fermier laboure comme son valet, qui, le plus souvent, devient maître à son tour un jour ou l'autre, et les servantes à tout moment passent maîtresses sans
410 que cela apporte aucun changement dans leur vie ou leurs habitudes.

Rose ne se coucha pas cette nuit-là. Elle tomba assise sur son lit, n'ayant plus même la force de pleurer tant elle était anéantie[5]. Elle restait inerte, ne sentant plus son corps, et l'esprit dispersé, comme si quelqu'un l'eût déchiquetée avec un de ces instruments dont se servent les cardeurs[6] pour effiloquer[7] la laine des matelas.

1. Pardi (*exclamation*).
2. Argent ou objets qu'une femme apporte lors de son mariage.
3. D'inquiétudes.
4. Mariage en dessous de sa condition sociale (ici un propriétaire avec une servante).
5. Abattue.
6. Ouvriers qui peignent la laine.
7. Effilocher, tirer la laine.

Par instants seulement elle parvenait à rassembler comme des bribes[8] de réflexions, et elle s'épouvantait à la pensée de ce qui pouvait advenir[9]. 420

Ses terreurs grandirent et, chaque fois que dans le silence assoupi[10] de la maison la grosse horloge de la cuisine battait lentement les heures, il lui venait des sueurs d'angoisse. Sa tête se perdait, les cauchemars se succédaient, sa chandelle s'éteignit ; alors commença le délire, ce délire fuyant des gens de la campagne qui se croient frappés par un sort, un besoin fou de partir, de s'échapper, de courir devant le malheur comme un vaisseau devant la tempête.

Une chouette glapit[11] ; elle tressaillit, se dressa, passa ses mains sur sa face, dans ses cheveux, se tâta le corps comme une folle ; puis, avec des allures de somnambule, elle descendit. Quand elle fut dans la cour, elle rampa pour n'être point vue par quelque goujat rôdeur[12], car la lune, près de disparaître, jetait une lueur claire dans les champs. Au lieu d'ouvrir la barrière, elle escalada le talus[13] ; puis, quand elle fut en face de la campagne, elle partit. Elle filait droit devant elle, d'un trot élastique et précipité, et, de temps en temps, inconsciemment, elle jetait un cri perçant. Son ombre démesurée, couchée sur le sol à son côté, filait avec elle, et parfois un oiseau de nuit venait tournoyer sur sa tête. Les chiens dans les cours de fermes aboyaient en l'entendant passer ; l'un d'eux sauta le fossé et la poursuivit pour la mordre ; mais elle se retourna sur lui en hurlant de telle façon que l'animal épouvanté s'enfuit, se blottit dans sa loge[14] et se tut. 430 440

Parfois une jeune famille de lièvres folâtrait[15] dans un champ ; mais, quand approchait l'enragée coureuse,

8. Bouts.
9. Arriver.
10. Endormi.
11. Cria.
12. Vagabond qui pourrait l'attaquer.
13. Bord en pente de chaque côté de la route.
14. Niche.
15. Jouait.

pareille à une Diane en délire, les bêtes craintives se
450 débandaient[1]; les petits et la mère disparaissaient blottis dans un sillon[2], tandis que le père déboulait[3] à toutes pattes et, parfois, faisait passer son ombre bondissante, avec ses grandes oreilles dressées, sur la lune à son coucher, qui plongeait maintenant au bout du monde et éclairait la plaine de sa lumière oblique[4], comme une énorme lanterne posée par terre à l'horizon.

Les étoiles s'effacèrent dans les profondeurs du ciel; quelques oiseaux pépiaient; le jour naissait. La fille, exténuée[5], haletait; et quand le soleil perça l'aurore empour-
460 prée[6], elle s'arrêta.

Ses pieds enflés se refusaient à marcher; mais elle aperçut une mare, une grande mare dont l'eau stagnante[7] semblait du sang, sous les reflets rouges du jour nouveau, et elle alla, à petits pas, boitant, la main sur son cœur, tremper ses deux jambes dedans.

Elle s'assit sur une touffe d'herbe, ôta ses gros souliers pleins de poussière, défit ses bas et enfonça ses mollets bleuis dans l'onde[8] immobile où venaient parfois crever des bulles d'air.

470 Une fraîcheur délicieuse lui monta des talons jusqu'à la gorge; et, tout à coup, pendant qu'elle regardait fixement cette mare profonde, un vertige la saisit, un désir furieux d'y plonger tout entière. Ce serait fini de souffrir là dedans, fini pour toujours. Elle ne pensait plus à son enfant; elle voulait la paix, le repos complet, dormir sans fin. Alors elle se dressa, les bras levés, et fit deux pas en avant. Elle enfonçait maintenant jusqu'aux cuisses, et déjà elle se précipitait, quand des piqûres ardentes[9] aux chevilles la firent sauter en arrière, et elle poussa un cri

Diane

Diane (Artémis chez les Grecs) est la déesse romaine de la Chasse et de la Nature sauvage, sœur d'Apollon. Elle est armée de flèches et accompagnée d'un cortège de nymphes. C'est l'une des divinités les plus représentées par les peintres et les sculpteurs.

1. S'enfuyaient.
2. Tranchée creusée par la charrue.
3. Fuyait après avoir surgi soudainement.
4. Inclinée.
5. Épuisée.
6. Rouge.
7. Sans mouvement.
8. Eau.
9. Violentes.

désespéré, car depuis ses genoux jusqu'au bout de ses pieds de longues sangsues[10] noires buvaient sa vie, se gonflaient, collées à sa chair. Elle n'osait point y toucher et hurlait d'horreur. Ses clameurs[11] désespérées attirèrent un paysan qui passait au loin avec sa voiture. Il arracha les sangsues une à une, comprima les plaies avec des herbes et ramena la fille dans sa carriole[12] jusqu'à la ferme de son maître. 480

Elle fut pendant quinze jours au lit, puis, le matin où elle se releva, comme elle était assise devant la porte, le fermier vint soudain se planter devant elle. 490

« Eh bien, dit-il, c'est une affaire entendue, n'est-ce pas ? »

Elle ne répondit point d'abord, puis, comme il restait debout, la perçant de son regard obstiné, elle articula péniblement :

« Non, not' maître, je ne peux pas. »

Mais il s'emporta[13] tout à coup.

« Tu ne peux pas, la fille, tu ne peux pas, pourquoi ça ? »

Elle se remit à pleurer et répéta : 500

« Je ne peux pas. »

Il la dévisageait et il lui cria dans la face :

« C'est donc que tu as un amoureux ? »

Elle balbutia, tremblante de honte.

« Peut-être bien que c'est ça. »

L'homme, rouge comme un coquelicot, bredouillait de colère :

« Ah ! tu l'avoues donc, gueuse[14] ! Et qu'est-ce que c'est, ce merle[15]-là ? Un va-nu-pieds, un sans-le-sou, un couche-dehors, un crève-la-faim[16] ? Qu'est-ce que c'est, dis ? » 510

10. Vers à ventouses qui se nourrissent de sang.
11. Hurlements.
12. Charrette.
13. Se mit en colère.
14. Fille méprisable.
15. Séducteur.
16. Les quatre expressions, populaires, désignent un homme pauvre et sans avenir.

Et, comme elle ne répondait rien :

« Ah ! tu ne veux pas... Je vas te le dire, moi : c'est Jean Baudu ? »

Elle s'écria :

« Oh ! non, pas lui.

– Alors c'est Pierre Martin ?

– Oh non ! not'maître. »

Et il nommait éperdument[1] tous les garçons du pays pendant qu'elle niait, accablée[2], et s'essuyant les yeux à 520 tout moment du coin de son tablier bleu. Mais lui cherchait toujours avec son obstination de brute, grattant à ce cœur pour connaître son secret, comme un chien de chasse qui fouille un terrier tout un jour pour avoir la bête qu'il sent au fond. Tout à coup l'homme s'écria :

« Eh ! pardine, c'est Jacques, le valet de l'autre année ; on disait bien qu'il te parlait et que vous vous étiez promis mariage. »

Rose suffoqua ; un flot de sang empourpra sa face ; ses larmes tarirent tout à coup ; elles se séchèrent sur ses joues 530 comme des gouttes d'eau sur du fer rouge. Elle s'écria :

« Non, ce n'est pas lui, ce n'est pas lui !

– Est-ce bien sûr, ça ? » demanda le paysan malin qui flairait[3] un bout de vérité.

Elle répondit précipitamment :

« Je vous le jure, je vous le jure... »

Elle cherchait sur quoi jurer, n'osant point invoquer les choses sacrées. Il l'interrompit :

« Il te suivait pourtant dans les coins et il te mangeait des yeux pendant tous les repas. Lui as-tu promis ta foi[4], 540 hein, dis ? »

Cette fois, elle regarda son maître en face.

1. Follement.
2. Abattue.
3. Sentait.
4. Donné ta parole.

« Non, jamais, jamais, et je vous jure par le bon Dieu que s'il venait aujourd'hui me demander, je ne voudrais pas de lui. »

Elle avait l'air tellement sincère que le fermier hésita. Il reprit, comme se parlant à lui-même :

« Alors, quoi ? Il ne t'est pourtant pas arrivé un malheur[5], on le saurait. Et puisqu'il n'y a pas eu de conséquence[6], une fille ne refuserait pas son maître à cause de ça. Il faut pourtant qu'il y ait quelque chose. » 550

Elle ne répondait plus rien, étranglée par une angoisse.

Il demanda encore : « Tu ne veux point ? »

Elle soupira : « Je n'peux pas, not'maître. » Et il tourna les talons.

Elle se crut débarrassée et passa le reste du jour à peu près tranquille, mais aussi rompue[7] et exténuée que si, à la place du vieux cheval blanc, on lui eût fait tourner depuis l'aurore la machine à battre le grain.

Elle se coucha sitôt qu'elle le put et s'endormit tout d'un coup. 560

Vers le milieu de la nuit, deux mains qui palpaient son lit la réveillèrent. Elle tressauta de frayeur, mais elle reconnut aussitôt la voix du fermier qui lui disait : « N'aie pas peur Rose, c'est moi qui viens pour te parler. » Elle fut d'abord étonnée ; puis comme il essayait de pénétrer sous ses draps, elle comprit ce qu'il cherchait et se mit à trembler très fort, se sentant seule dans l'obscurité, encore lourde de sommeil, et toute nue, et dans un lit, auprès de cet homme qui la voulait. Elle ne consentait pas, pour sûr, mais elle résistait nonchalamment, luttant elle-même contre l'instinct toujours plus puissant chez les natures simples, et mal protégée par la volonté indécise de ces races inertes 570

5. Tu n'es pas tombée enceinte sans être mariée.
6. Le fermier pense à un éventuel enfant.
7. Épuisée.

et molles. Elle tournait sa tête tantôt vers le mur, tantôt vers la chambre, pour éviter les caresses dont la bouche du fermier poursuivait la sienne, et son corps se tordait un peu sous sa couverture, énervé par la fatigue de la lutte. Lui, devenait brutal, grisé[1] par le désir. Il la découvrit d'un mouvement brusque. Alors elle sentit bien qu'elle ne pouvait plus résister. Obéissant à une pudeur d'autruche[2], elle
580 cacha sa figure dans ses mains et cessa de se défendre.

Le fermier resta la nuit auprès d'elle. Il y revint le soir suivant, puis tous les jours.

Ils vécurent ensemble.

Un matin, il lui dit: « J'ai fait publier les bans, nous nous marierons le mois prochain. »

Elle ne répondit pas. Que pouvait-elle dire? Elle ne résista point. Que pouvait-elle faire?

IV

Elle l'épousa. Elle se sentait enfoncée dans un trou aux bords inaccessibles, dont elle ne pourrait jamais sortir, et
590 toutes sortes de malheurs restaient suspendus sur sa tête comme des gros rochers qui tomberaient à la première occasion. Son mari lui faisait l'effet d'un homme qu'elle avait volé et qui s'en apercevrait un jour ou l'autre. Et puis elle pensait à son petit d'où venait tout son malheur, mais d'où venait aussi tout son bonheur sur la terre.

Elle allait le voir deux fois l'an et revenait plus triste chaque fois.

Cependant, avec l'habitude, ses appréhensions[3] se calmèrent, son cœur s'apaisa, et elle vivait plus confiante
600 avec une vague crainte flottant encore en son âme.

1. Enivré, excité.
2. Comme l'autruche, Rose se cache car elle refuse de voir le danger, donc de l'affronter.
3. Craintes.

Des années passèrent; l'enfant gagnait six ans. Elle était maintenant presque heureuse, quand tout à coup l'humeur du fermier s'assombrit.

Depuis deux ou trois années déjà il semblait nourrir une inquiétude, porter en lui un souci, quelque mal de l'esprit grandissant peu à peu. Il restait longtemps à table après son dîner, la tête enfoncée dans ses mains, et triste, triste, rongé par le chagrin. Sa parole devenait plus vive, brutale parfois; et il semblait même qu'il avait une arrière-pensée contre sa femme, car il lui répondait par moments avec dureté, presque avec colère. 610

Un jour que le gamin d'une voisine était venu chercher des œufs, comme elle le rudoyait[4] un peu, pressée par la besogne[5], son mari apparut tout à coup et lui dit de sa voix méchante:

« Si c'était le tien, tu ne le traiterais pas comme ça. »

Elle demeura saisie[6], sans pouvoir répondre, puis elle rentra, avec toutes ses angoisses réveillées.

Au dîner, le fermier ne lui parla pas, ne la regarda pas, et il semblait la détester, la mépriser, savoir quelque chose enfin. 620

Perdant la tête, elle n'osa point rester seule avec lui après le repas; elle se sauva et courut jusqu'à l'église.

La nuit tombait; l'étroite nef[7] était toute sombre, mais un pas rôdait dans le silence là-bas, vers le chœur, car le sacristain[8] préparait pour la nuit la lampe du tabernacle[9]. Ce point de feu tremblotant, noyé dans les ténèbres de la voûte[10], apparut à Rose comme une dernière espérance, et, les yeux fixés sur lui, elle s'abattit à genoux.

La mince veilleuse remonta dans l'air avec un bruit de chaîne. Bientôt retentit sur le pavé un saut régulier de 630

4. Brusquait.
5. Le travail.
6. Stupéfaite.
7. Partie centrale de l'église.
8. L'employé qui s'occupe de l'entretien d'une église.
9. Petite armoire placée sur l'autel, destinée à conserver les hosties.
10. Plafond en forme d'arc.

sabots que suivait un frôlement de corde traînant, et la maigre cloche jeta l'*Angelus*[1] du soir à travers les brumes grandissantes. Comme l'homme allait sortir, elle le joignit.

« Monsieur le curé est-il chez lui ? » dit-elle.

Il répondit :

« Je crois bien, il dîne toujours à l'*Angelus*. »

Alors elle poussa en tremblant la barrière du presbytère[2].

640 Le prêtre se mettait à table. Il la fit asseoir aussitôt.

« Oui, oui, je sais, votre mari m'a parlé déjà de ce qui vous amène. »

La pauvre femme défaillait[3]. L'ecclésiastique reprit :

« Que voulez-vous, mon enfant ? »

Et il avalait rapidement des cuillerées de soupe dont les gouttes tombaient sur sa soutane[4] rebondie et crasseuse[5] au ventre.

Rose n'osait plus parler, ni implorer[6], ni supplier ; elle se leva ; le curé lui dit :

650 « Du courage... »

Et elle sortit.

Elle revint à la ferme sans savoir ce qu'elle faisait. Le maître l'attendait, les gens de peine étant partis en son absence. Alors elle tomba lourdement à ses pieds et elle gémit en versant des flots de larmes.

« Qu'est-ce que t'as contre moi ? »

Il se mit à crier, jurant :

« J'ai que je n'ai pas d'éfants[7], nom de Dieu ! Quand on prend une femme, c'n'est pas pour rester tout seuls tous

660 les deux jusqu'à la fin. V'là c'que j'ai. Quand une vache n'a point de viaux[8], c'est qu'elle ne vaut rien. Quand une femme n'a point d'éfant, c'est aussi qu'elle ne vaut rien. »

1. Son de cloche annonçant l'heure d'une prière.
2. De la maison du curé.
3. Se sentait mal.
4. Robe noire portée par les prêtres.
5. Sale.
6. Demander.
7. Enfants.
8. Veaux.

Elle pleurait balbutiant, répétant:

« C'n'est point d'ma faute! c'n'est point d'ma faute! »

Alors il s'adoucit un peu et il ajouta:

« J'te dis pas, mais c'est contrariant tout de même. »

V

De ce jour elle n'eut plus qu'une pensée: avoir un enfant, un autre; et elle confia son désir à tout le monde.

Une voisine lui indiqua un moyen: c'était de donner à boire à son mari tous les soirs, un verre d'eau avec une pincée de cendres. Le fermier s'y prêta, mais le moyen ne réussit pas.

Ils se dirent: « Peut-être qu'il y a des secrets. » Et ils allèrent aux renseignements. On leur désigna un berger qui demeurait à dix lieues de là; et maître Vallin ayant attelé son tilbury[9] partit un jour pour le consulter. Le berger lui remit un pain sur lequel il fit des signes, un pain pétri avec des herbes et dont il fallait que tous deux mangeassent un morceau, la nuit, avant comme après leurs caresses.

Le pain tout entier fut consommé sans obtenir de résultat.

Un instituteur leur dévoila des mystères, des procédés d'amour inconnus aux champs, et infaillibles[10], disait-il. Ils ratèrent.

Le curé conseilla un pèlerinage au Précieux Sang de Fécamp[11]. Rose alla avec la foule se prosterner[12] dans l'abbaye, et, mêlant son vœu aux souhaits grossiers qu'exhalaient[13] tous ces cœurs de paysans, elle supplia Celui que

670

680

Le pèlerinage

Ce voyage est entrepris par les fidèles d'une religion dans un but de purification et de prière. Les Lieux saints de Palestine, La Mecque, Saint-Jacques de Compostelle, les tombeaux de saint Pierre et saint Paul, Fatima et Lourdes sont aujourd'hui des lieux de culte et des destinations de pèlerinage.

9. Sa voiture à cheval.
10. Sûrs.
11. Ville balnéaire de Normandie, où se trouve une fontaine ayant jailli, dit-on, d'une coupe contenant des gouttes de sang du Christ.
12. S'agenouiller en signe d'adoration.
13. Que laissaient échapper.

tous imploraient de la rendre encore une fois féconde. Ce fut en vain. Alors elle s'imagina être punie de sa première faute et une immense douleur l'envahit.

Elle dépérissait[1] de chagrin ; son mari aussi vieillissait, « se mangeait les sangs », disait-on, se consumait en espoirs inutiles.

Alors la guerre éclata entre eux. Il l'injuria, la battit. Tout le jour il la querellait, et le soir dans leur lit, haletant, haineux, il lui jetait à la face des outrages[2] et des ordures[3]. Une nuit enfin, ne sachant plus qu'inventer pour la faire souffrir davantage, il lui ordonna de se lever et d'aller attendre le jour sous la pluie devant la porte. Comme elle n'obéissait pas, il la saisit par le cou et se mit à la frapper au visage à coups de poing. Elle ne dit rien, ne remua pas. Exaspéré, il sauta à genoux sur son ventre ; et, les dents serrées, fou de rage, il l'assommait. Alors elle eut un instant de révolte désespérée, et, d'un geste furieux le rejetant contre le mur, elle se dressa sur son séant[4], puis, la voix changée, sifflante :

« J'en ai un éfant, moi, j'en ai un ! je l'ai eu avec Jacques ; tu sais bien Jacques. Il devait m'épouser : il est parti. »

L'homme, stupéfait, restait là, aussi éperdu qu'elle-même ; il bredouillait :

« Qué que tu dis ? qué que tu dis ? »

Alors elle se mit à sangloter, et à travers ses larmes ruisselantes elle balbutia :

« C'est pour ça que je ne voulais pas t'épouser, c'est pour ça. Je ne pouvais point te le dire, tu m'aurais mise sans pain avec mon petit. Tu n'en as pas, toi, d'éfant ; tu ne sais pas, tu ne sais pas ! »

1. S'affaiblissait.
2. Insultes.
3. Grossièretés.
4. Elle s'assit.

Il répétait machinalement, dans une surprise grandissante :

« T'as un éfant ? t'as un éfant ? »

Elle prononça au milieu des hoquets :

« Tu m'as prise de force ; tu le sais bien peut-être ? moi je ne voulais point t'épouser. »

Alors il se leva, alluma la chandelle, et se mit à marcher dans la chambre, les bras derrière le dos. Elle pleurait toujours, écroulée sur le lit. Tout à coup il s'arrêta devant elle : « C'est de ma faute alors si je t'en ai pas fait ? » dit-il. 730 Elle ne répondit pas.

Il se remit à marcher ; puis, s'arrêtant de nouveau, il demanda :

« Quel âge qu'il a ton petiot ? »

Elle murmura :

« V'là qu'il va avoir six ans. »

Il demanda encore :

« Pourquoi que tu ne me l'as pas dit ? »

Elle gémit :

« Est-ce que je pouvais ! » 740

Il restait debout immobile.

« Allons, lève-toi », dit-il.

Elle se redressa péniblement ; puis, quand elle se fut mise sur ses pieds, appuyée au mur, il se prit à rire soudain de son gros rire des bons jours ; et comme elle demeurait bouleversée, il ajouta :

« Eh bien, on ira le chercher, c't'éfant, puisque nous n'en avons pas ensemble. »

Elle eut un tel effarement[5] que si la force ne lui eût pas manqué, elle se serait assurément enfuie. Mais le fermier 750 se frottait les mains et murmurait :

5. Une telle stupéfaction.

« Je voulais en adopter un, le v'là trouvé, le v'là trouvé. J'avais demandé au curé un orphelin. »

Puis, riant toujours, il embrassa sur les deux joues sa femme éplorée[1] et stupide[2], et il cria, comme si elle ne l'entendait pas :

« Allons la mère, allons voir s'il y a encore de la soupe ; moi j'en mangerai bien une potée[3]. »

Elle passa sa jupe ; ils descendirent ; et pendant qu'à genoux elle rallumait le feu sous la marmite, lui, radieux[4], continuait à marcher à grands pas dans la cuisine en répétant : 760

« Eh bien, vrai, ça me fait plaisir ; c'est pas pour dire, mais je suis content, je suis bien content. »

1. En pleurs.
2. Sans réaction sous l'effet du choc.
3. Contenu d'un pot.
4. Joyeux.

Pause lecture 1

Rose, une servante au grand cœur

La vie paysanne

Avez-vous bien lu ?

En quelle saison se déroule la scène ?

❏ En automne.

❏ Au printemps.

❏ En été.

Un récit réaliste

1 Rose vit loin de sa mère : pourquoi ? Comment supporte-t-elle cette séparation ?

2 Observez le discours direct (l. 114 à 135 puis l. 158 à 182). Quelles remarques pouvez-vous faire sur le vocabulaire ? et sur la syntaxe ? Quel est le but de Maupassant ?

Le rapport à la nature

3 Pourquoi Jacques vient-il « à pas de loup » (l. 92) ? En quoi est-il un prédateur ?

4 Sur combien de temps se déroule l'ensemble de l'histoire ? « Des années passèrent » (l. 601) : cette ellipse est-elle nécessaire ? Pourquoi ?

Rose et l'amour

Avez-vous bien lu ?

Pourquoi le fermier veut-il épouser Rose ?

- ❏ Il est amoureux d'elle.
- ❏ Il a peur de la voir partir.
- ❏ Elle lui fait gagner de l'argent.

Des personnages typés

1 Que cherche Jacques avec Rose ? Relevez les indices de sa lâcheté.

2 En quoi le fermier est-il sympathique ? en quoi est-il antipathique ? Sa réaction finale était-elle prévisible ? Pourquoi ?

3 Envers qui Rose est-elle trop naïve ? Envers qui est-elle méfiante ?

Le règne du silence

4 Lors de la demande en mariage (l. 361 à 397), quels adjectifs révèlent l'incompréhension de Rose ?

5 « Votre mari m'a parlé » (l. 641) : que comprend Rose ? qu'en est-il vraiment ? À quel moment du récit la vérité éclate-t-elle ?

La violence entre hommes et femmes

6 Comparez les lignes 85 à 104 et 561 à 580 : comment Jacques et le fermier traitent-ils Rose ? Quelle est pourtant leur différence ?

7 Quel est le rôle de la force physique dans les relations de Rose avec Jacques ? et avec son mari ? Pourquoi Rose ne se révolte-t-elle pas contre la brutalité du fermier ?

Un regard désabusé sur la nature humaine

Avez-vous bien lu ?

Pourquoi le fermier bat-il Rose ?

- ❏ Il est malheureux.
- ❏ Il la déteste.
- ❏ Il pense divorcer pour se remarier.

Un narrateur impliqué

1. Deux fois Rose essaie de se tourner vers la religion. À quels moments ? Pourquoi échoue-t-elle ? Quel est l'effet produit par le portrait du curé (l. 645 à 647) ?
2. Lignes 586-587 : quelle est la forme de discours rapporté choisie par Maupassant ? Quel est l'effet produit ?
3. Quel regard Maupassant porte-t-il sur les « remèdes » suggérés dans le premier paragraphe du chapitre V ? Quelle est sa cible ?

Tensions et retournements

4. Pourquoi Rose se décide-t-elle à dire la vérité (l. 709 à 740) ? A-t-elle le choix ? En quoi son enfant fait-il à la fois son malheur et son bonheur ?
5. Pourquoi, selon vous, n'avons-nous aucune indication sur la réaction de Rose, une fois que la joie de son mari est assurée ?

Vers l'expression

Vocabulaire

1. Relevez les notations d'odeur, de goût, de toucher, de bruit (l. 1 à 86).

2. Recopiez le nom de chaque animal de la ferme avec le verbe qui correspond à son cri.

Animal	Verbe
La vache	cancane
Le chien	coasse
Le mouton	roucoule
Le canard	hennit
La grenouille	miaule
La tourterelle	barrit
La poule	chante
Le cheval	glousse
Le chat	mugit
Le coq	bêle

À vous de jouer

Rédigez une suite

Imaginez qu'au moment où Rose entre dans l'eau, avant l'épisode des sangsues, un beau cavalier vienne à passer... Racontez à votre tour une « éternelle histoire d'amour » en utilisant les indices donnés sur Rose dans le récit de Maupassant.

Du texte à l'image

Observez la photographie → voir dossier images p. I

Photographie du téléfilm *Histoire d'une fille de ferme*, réalisé par Denis Malleval pour France 2, 2007.

1. Combien de personnages sont attablés ? Qui préside la table ? A-t-il le même âge que les autres convives ? Où est placée la jeune fille ? Qui sont les autres personnes ?
2. Que regarde la jeune fille ? À quel moment du récit de Maupassant cette scène correspond-elle ?
3. Citez les différents meubles que vous voyez et les éléments du décor (en particulier les objets accrochés au mur). À quoi s'est attaché le réalisateur ?
4. Que mangent les paysans ? Quelle boisson typique de la Normandie boivent-ils ?

Lire

Le Père Milon

1883

texte intégral

Qui sont les personnages ?

Le père Milon

Vieux paysan normand, économe, il doit héberger des Prussiens dans sa ferme.

➨ *Pourquoi se met-il à égorger des soldats ?*

Le colonel prussien

Militaire soucieux de ne pas abuser de son autorité, il doit juger le père Milon.

➨ *Pourquoi est-il si compréhensif ?*

Le Père Milon

Depuis un mois, le large soleil jette aux champs sa flamme cuisante. La vie radieuse éclôt[1] sous cette averse de feu ; la terre est verte à perte de vue. Jusqu'aux bords de l'horizon, le ciel est bleu. Les fermes normandes semées par la plaine semblent, de loin, de petits bois, enfermées dans leur ceinture de hêtres élancés. De près, quand on ouvre la barrière vermoulue[2], on croit voir un jardin géant, car tous les antiques[3] pommiers, osseux comme les paysans, sont en fleurs. Les vieux troncs noirs, crochus, tortus[4], alignés par la cour, étalent sous le ciel leurs dômes[5] éclatants, blancs et roses. Le doux parfum de leur épanouissement se mêle aux grasses senteurs des étables ouvertes et aux vapeurs du fumier[6] qui fermente, couvert de poules. 10

Il est midi. La famille dîne à l'ombre du poirier planté devant la porte : le père, la mère, les quatre enfants, les deux servantes et les trois valets. On ne parle guère. On mange la soupe, puis on découvre le plat de fricot[7] plein de pommes de terre au lard.

De temps en temps, une servante se lève et va remplir au cellier[8] la cruche au cidre. 20

L'homme, un grand gars de quarante ans, contemple, contre sa maison, une vigne restée nue, et courant, tordue comme un serpent, sous les volets, tout le long du mur.

Il dit enfin : « La vigne au père bourgeonne[9] de bonne heure c't'année. P't-être qu'a donnera. »

La femme aussi se retourne et regarde, sans dire un mot.

1. Naît.
2. Mangée par les vers, vieille.
3. Très vieux.
4. Tordus.
5. Voûtes formées par les branchages.
6. Excréments d'animaux, utilisés comme engrais.
7. Viande en sauce.
8. À la cave.
9. A des bourgeons.

Cette vigne est plantée juste à la place où le père a été fusillé.

30 C'était pendant la guerre de 1870. Les Prussiens occupaient tout le pays. Le général Faidherbe, avec l'armée du Nord, leur tenait tête.

Or l'état-major[1] prussien s'était posté dans cette ferme. Le vieux paysan qui la possédait, le père Milon, Pierre, les avait reçus et installés de son mieux.

Depuis un mois l'avant-garde allemande restait en observation dans le village. Les Français demeuraient immobiles, à dix lieues de là ; et cependant, chaque nuit, des uhlans[2] disparaissaient.

40 Tous les éclaireurs[3] isolés, ceux qu'on envoyait faire des rondes[4], alors qu'ils partaient à deux ou trois seulement, ne rentraient jamais.

On les ramassait morts, au matin, dans un champ, au bord d'une cour, dans un fossé. Leurs chevaux eux-mêmes gisaient[5] le long des routes, égorgés d'un coup de sabre.

Ces meurtres semblaient accomplis par les mêmes hommes, qu'on ne pouvait découvrir.

Le pays fut terrorisé. On fusilla des paysans sur une simple dénonciation, on emprisonna des femmes ; on

50 voulut obtenir, par la peur, des révélations des enfants. On ne découvrit rien.

Mais voilà qu'un matin, on aperçut le père Milon étendu dans son écurie, la figure coupée d'une balafre[6].

Deux uhlans éventrés furent retrouvés à trois kilomètres de la ferme. Un d'eux tenait encore à la main son arme ensanglantée. Il s'était battu, défendu.

Un conseil de guerre[7] ayant été aussitôt constitué, en plein air, devant la ferme, le vieux fut amené.

La guerre de 1870

La guerre entre la France et l'Allemagne est déclarée en juillet 1870. La même année, les armées françaises sont battues à Sedan, et une partie du pays est occupée par les Prussiens de 1871 à 1873. Le général Faidherbe évite cependant, par sa résistance, l'occupation du nord du pays.

1. Ensemble des officiers qui commandent une armée.
2. Soldats prussiens.
3. Soldats qui partent en reconnaissance.
4. Patrouilles de surveillance.
5. Étaient allongés.
6. Grande entaille.
7. Tribunal militaire.

Il avait soixante-huit ans. Il était petit, maigre, un peu tors[8], avec de grandes mains pareilles à des pinces de crabe. Ses cheveux ternes, rares et légers comme un duvet de jeune canard, laissaient voir partout la chair du crâne. La peau brune et plissée du cou montrait de grosses veines qui s'enfonçaient sous les mâchoires et reparaissaient aux tempes. Il passait dans la contrée[9] pour avare et difficile en affaires. 60

On le plaça debout, entre quatre soldats, devant la table de cuisine tirée dehors. Cinq officiers et le colonel s'assirent en face de lui.

Le colonel prit la parole en français. 70

« Père Milon, depuis que nous sommes ici, nous n'avons eu qu'à nous louer de vous. Vous avez toujours été complaisant[10] et même attentionné pour nous. Mais aujourd'hui une accusation terrible pèse sur vous, et il faut que la lumière se fasse. Comment avez-vous reçu la blessure que vous portez sur la figure ? »

Le paysan ne répondit rien.

Le colonel reprit :

« Votre silence vous condamne, père Milon. Mais je veux que vous me répondiez, entendez-vous ? Savez-vous qui a tué les deux uhlans qu'on a trouvés ce matin près du Calvaire[11] ? » 80

Le vieux articula nettement :

« C'est mé. »

Le colonel, surpris, se tut une seconde, regardant fixement le prisonnier. Le père Milon demeurait impassible[12], avec son air abruti de paysan, les yeux baissés comme s'il eût parlé à son curé. Une seule chose pouvait révéler un trouble intérieur, c'est qu'il avalait coup sur coup sa

8. Tordu.
9. Région.
10. Aimable.
11. Croix dressée à l'entrée des villages ou à un carrefour.
12. Très calme.

90 salive, avec un effort visible, comme si sa gorge eût été tout à fait étranglée.

La famille du bonhomme, son fils Jean, sa bru[1] et deux petits enfants se tenaient à dix pas en arrière, effarés[2] et consternés[3].

Le colonel reprit :

« Savez-vous aussi qui a tué tous les éclaireurs de notre armée qu'on retrouve chaque matin, par la campagne, depuis un mois ? »

Le vieux répondit avec la même impassibilité de brute :

100 « C'est mé.

– C'est vous qui les avez tués tous ?

– Tretous[4], oui, c'est mé.

– Vous seul ?

– Mé seul.

– Dites-moi comment vous vous y preniez. »

Cette fois l'homme parut ému ; la nécessité de parler longtemps le gênait visiblement. Il balbutia[5] :

« Je sais-ti, mé ? J'ai fait ça comme ça s'trouvait. »

Le colonel reprit :

110 « Je vous préviens qu'il faudra que vous me disiez tout. Vous ferez donc bien de vous décider immédiatement. Comment avez-vous commencé ? »

L'homme jeta un regard inquiet sur sa famille attentive derrière lui. Il hésita un instant encore, puis, tout à coup, se décida.

« Je r'venais un soir, qu'il était p't-être dix heures, le lend'main que vous étiez ici. Vous, et pi vos soldats, vous m'aviez pris pour pus de chinquante écus[6] de fourrage avec une vaque[7] et deux moutons. Je me dis : Tant qu'i me

120 prendront de fois vingt écus, tant que je leur y revaudrai

1. Belle-fille.
2. Stupéfaits.
3. Désolés.
4. Tous. Le préfixe est une forme d'insistance (en patois normand).
5. Bredouilla.
6. Pièces de cinq francs, en argent.
7. Vache.

Illustration de Charles Huard pour *Le Père Milon*,
XIXe siècle.

ça[1]. Et pi, j'avais d'autres choses itou[2] su l'cœur, que j'vous dirai. V'là qu'j'en aperçois un d'vos cavaliers qui fumait sa pipe su mon fossé, derrière ma grange. J'allai décrocher ma faux[3] et je r'vins à p'tits pas par-derrière, qu'il n'entendit seulement rien[4]. Et j'li coupai la tête d'un coup, d'un seul, comme un épi, qu'il n'a pas seulement dit « ouf ! ». Vous n'auriez qu'à chercher au fond d'la mare : vous le trouveriez dans un sac à charbon, avec une pierre de la barrière.

« J'avais mon idée. J'pris tous ses effets[5] d'puis les bottes jusqu'au bonnet et je les cachai dans le four à plâtre du bois Martin, derrière la cour. »

Le vieux se tut. Les officiers, interdits[6], se regardaient. L'interrogatoire recommença ; et voici ce qu'ils apprirent :

Une fois son meurtre accompli, l'homme avait vécu avec cette pensée : « Tuer des Prussiens ! » Il les haïssait d'une haine sournoise[7] et acharnée de paysan cupide[8] et patriote[9] aussi. Il avait son idée comme il disait. Il attendit quelques jours.

On le laissait libre d'aller et de venir, d'entrer et de sortir à sa guise[10], tant il s'était montré humble[11] envers les vainqueurs, soumis et complaisant. Or il voyait, chaque soir, partir les estafettes[12] ; et il sortit, une nuit, ayant entendu le nom du village où se rendaient les cavaliers, et ayant appris, dans la fréquentation des soldats, les quelques mots d'allemand qu'il lui fallait.

Il sortit de sa cour, se glissa dans le bois, gagna le four à plâtre, pénétra au fond de la longue galerie et, ayant retrouvé par terre les vêtements du mort, il s'en vêtit.

Alors il se mit à rôder[13] par les champs, rampant, suivant les talus[14] pour se cacher, écoutant les moindres bruits, inquiet comme un braconnier[15].

1. À chaque fois qu'ils me prendront vingt écus, je me vengerai.
2. Aussi.
3. Outil tranchant à long manche pour couper l'herbe et les céréales.
4. Si bien qu'il n'entendit rien.
5. Vêtements.
6. Stupéfaits.
7. Cachée.
8. Avare.
9. Qui aime son pays.
10. Librement.
11. Respectueux.
12. Cavaliers qui portent le courrier.
13. Errer.
14. Bords en pente de chaque côté de la route.
15. Personne qui chasse ou pêche sans autorisation.

Lorsqu'il crut l'heure arrivée, il se rapprocha de la route et se cacha dans une broussaille[16]. Il attendit encore. Enfin, vers minuit, un galop de cheval sonna sur la terre dure du chemin. L'homme mit l'oreille à terre pour s'assurer qu'un seul cavalier s'approchait, puis il s'apprêta.

Le uhlan arrivait au grand trot, rapportant des dépêches[17]. Il allait, l'œil en éveil, l'oreille tendue. Dès qu'il ne fut plus qu'à dix pas, le père Milon se traîna en travers de la route en gémissant: « *Hilfe*! *Hilfe*! À l'aide, à l'aide! » Le cavalier s'arrêta, reconnut un Allemand démonté[18], le crut blessé, descendit de cheval, s'approcha sans soupçonner rien, et, comme il se penchait sur l'inconnu, il reçut au milieu du ventre la longue lame courbée du sabre. Il s'abattit, sans agonie[19], secoué seulement par quelques frissons suprêmes[20].

160

Alors le Normand, radieux[21] d'une joie muette de vieux paysan, se releva, et, pour son plaisir, coupa la gorge du cadavre. Puis, il le traîna jusqu'au fossé et l'y jeta.

Le cheval, tranquille, attendait son maître. Le père Milon se mit en selle, et il partit au galop à travers les plaines.

170

Au bout d'une heure, il aperçut encore deux uhlans côte à côte qui rentraient au quartier[22]. Il alla droit sur eux, criant encore: « *Hilfe*! *Hilfe*! » Les Prussiens le laissaient venir, reconnaissant l'uniforme, sans méfiance aucune. Et il passa, le vieux, comme un boulet[23] entre les deux, les abattant l'un et l'autre avec son sabre et un revolver.

Puis il égorgea les chevaux, des chevaux allemands! Puis il rentra doucement au four à plâtre et cacha un cheval au fond de la sombre galerie. Il y quitta son uniforme, reprit ses hardes[24] de gueux[25] et, regagnant son lit, dormit jusqu'au matin.

180

16. Un buisson.
17. Lettres officielles.
18. À pied.
19. Brusquement.
20. Ultimes (avant la mort).
21. Ravi.
22. Quartier général.
23. Très vite, à la manière d'un boulet de canon.
24. Vêtements en très mauvais état.
25. Pauvre.

Pendant quatre jours, il ne sortit pas, attendant la fin de l'enquête ouverte ; mais, le cinquième jour, il repartit, et tua encore deux soldats par le même stratagème[1]. Dès lors, il ne s'arrêta plus. Chaque nuit, il errait, il rôdait à l'aventure[2], abattant des Prussiens tantôt ici, tantôt là, galopant par les champs déserts, sous la lune, uhlan perdu, chasseur d'hommes. Puis, sa tâche finie, laissant 190 derrière lui des cadavres couchés le long des routes, le vieux cavalier rentrait cacher au fond du four à plâtre son cheval et son uniforme.

Il allait vers midi, d'un air tranquille, porter de l'avoine et de l'eau à sa monture restée au fond du souterrain, et il la nourrissait à profusion[3], exigeant d'elle un grand travail.

Mais, la veille, un de ceux qu'il avait attaqués se tenait sur ses gardes et avait coupé d'un coup de sabre la figure du vieux paysan.

200 Il les avait tués cependant tous les deux ! Il était revenu encore, avait caché le cheval et repris ses humbles[4] habits ; mais, en rentrant, une faiblesse l'avait saisi et il s'était traîné jusqu'à l'écurie, ne pouvant plus gagner la maison.

On l'avait trouvé là tout sanglant, sur la paille…

Quand il eut fini son récit, il releva soudain la tête et regarda fièrement les officiers prussiens.

Le colonel, qui tirait sa moustache, lui demanda :

« Vous n'avez plus rien à dire ?

210 – Non, pus rien ; l'compte est juste : j'en ai tué seize, pas un de pus, pas un de moins.

– Vous savez que vous allez mourir ?

– J'vous ai pas d'mandé de grâce.

L'Empereur premier

Il s'agit de Napoléon Ier, empereur de 1804 à 1814, puis pendant la période dite « des Cent-Jours » en 1815. Sa « Grande Armée » remporte d'éclatantes victoires, mais l'Europe s'unit contre lui, et, en 1813, la France est envahie et vaincue, avant la défaite définitive de Waterloo en 1815.

1. Par la même ruse.
2. Au hasard.
3. Beaucoup.
4. Simples.

– Avez-vous été soldat ?

– Oui. J'ai fait campagne[5], dans le temps. Et puis, c'est vous qu'avez tué mon père, qu'était soldat de l'Empereur premier. Sans compter que vous avez tué mon fils cadet[6], François, le mois dernier, auprès d'Évreux[7]. Je vous en devais, j'ai payé. Je sommes quittes[8]. »

Les officiers se regardaient. 220

Le vieux reprit :

« Huit pour mon père, huit pour mon fieu[9], je sommes quittes. J'ai pas été vous chercher querelle[10], mé ! J'vous connais point ! J'sais pas seulement d'où qu'vous v'nez. Vous v'là chez mé, que vous y commandez comme si c'était chez vous. Je m'suis vengé su l's autres. J'm'en r'pens point. »

Et, redressant son torse ankylosé[11], le vieux croisa ses bras dans une pose d'humble héros.

Les Prussiens se parlèrent bas longtemps. Un capitaine, 230 qui avait aussi perdu son fils, le mois dernier, défendait ce gueux magnanime[12].

Alors le colonel se leva et, s'approchant du père Milon, baissant la voix :

« Écoutez, le vieux, il y a peut-être un moyen de vous sauver la vie, c'est de... »

Mais le bonhomme n'écoutait point, et, les yeux plantés droit sur l'officier vainqueur, tandis que le vent agitait les poils follets[13] de son crâne, il fit une grimace affreuse qui crispa sa maigre face toute coupée par la balafre, et, 240 gonflant sa poitrine, il cracha, de toute sa force, en pleine figure du Prussien.

Le colonel, affolé, leva la main, et l'homme, pour la seconde fois, lui cracha par la figure.

5. Participé à une guerre.
6. Le plus jeune.
7. Ville de Normandie.
8. Nous sommes à égalité (l'expression s'emploie pour indiquer que l'on a remboursé une dette).
9. Fils.
10. Provoquer.
11. Engourdi.
12. Héroïque.
13. Légers.

Tous les officiers s'étaient dressés et hurlaient des ordres en même temps.

En moins d'une minute, le bonhomme, toujours impassible, fut collé contre le mur et fusillé, alors qu'il envoyait des sourires à Jean, son fils aîné ; à sa bru et aux
250 deux petits, qui regardaient, éperdus[1].

1. Affolés.

Pause lecture 2

Le Père Milon

Vie et mort d'un paysan normand

Des récits emboîtés

Avez-vous bien lu ?

Pourquoi la fermière reste-t-elle muette ?

❏ Elle n'a pas écouté son mari.

❏ Elle se souvient d'un événement tragique.

❏ Elle songe à la future récolte.

La chronologie

1 Quelle est la seule date précisée ?

2 Donnez un titre aux quatre parties de la nouvelle : l. 1 à 29 ; l. 30 à 133 ; l. 134 à 205 ; l. 206 à 250 et situez-les sur un axe du temps. Que remarquez-vous ?

Le récit du père Milon

3 Dans quel ordre le père Milon raconte-t-il les faits (l. 116 à 131) ?

4 Le récit du père Milon est à la fois vivant et difficile à saisir. Pourquoi ? Relevez des indices précis. Quel est l'effet produit par ce langage ?

Une narration vivante

5 Relevez les connecteurs temporels (l. 134 à 205). À quel moment le récit s'accélère-t-il ? Pourquoi ?

6 L'interrogatoire au discours direct (l. 70 à 112) : qu'apprend le lecteur ?

Le réalisme

Avez-vous bien lu ?

Pourquoi le père Milon ne répond-il pas ?

❏ Il a peur.
❏ Il n'aime pas parler.
❏ Il a honte de ses actes.

Un paysan typique ?

1 Quelle est la ruse du père Milon pour attaquer les soldats prussiens ?

2 Relevez les comparaisons dans le portrait du père Milon (l. 59 à 66). Qu'ont-elles en commun ? Quel est l'effet créé ?

3 Quels sont les différents mobiles du père Milon pour ses crimes ?

4 Des lignes 134 à 171, relevez une intervention directe du narrateur dans laquelle il porte un jugement sur son personnage. En quoi le père Milon est-il à la fois un paysan normand typique et un être singulier ?

La guerre de 1870

5 Quelles expressions révèlent la violence des meurtres commis ?

6 Montrez que chaque génération paysanne est touchée par une guerre. Que dénonce Maupassant ?

Une sordide épopée

Avez-vous bien lu ?

Pourquoi le père Milon crache-t-il sur le colonel ?

❑ Par haine.

❑ Par folie.

❑ Par désir de mourir.

Un conseil de guerre à l'envers

1 Par quelle expression le père Milon avoue-t-il sa culpabilité ? Combien de fois la répète-t-il ? Sur quel ton ?

2 Pendant les aveux du père Milon, relevez les adjectifs qui précisent les sentiments des officiers prussiens et des membres de la famille du paysan. Que remarquez-vous ?

L'héroïsme en question

3 Commentez les expressions « humble héros » et « gueux magnanime » (l. 229 et 232). Comment s'appelle cette figure de style ?

4 À quels moments le père Milon fait-il preuve d'héroïsme ?

5 Avec quels instruments le père Milon commet-il ses crimes ? Ses victimes se défendent-elles ? Pourquoi les meurtres commis par le père Milon ne sont-ils pas héroïques ?

6 Quel message Maupassant nous donne-t-il sur la guerre et la violence dans cette nouvelle ?

Vers l'expression

Vocabulaire

1. Sur une feuille à part, réécrivez les paroles du père Milon des lignes 213 à 227 dans un niveau de langue courant. Relevez dans les paroles du paysan (l. 213 à 227) :
une erreur de prononciation – une déformation de mot – une erreur de conjugaison – une erreur dans la construction de la phrase.

2. Recopiez et complétez le tableau suivant en donnant des synonymes des mots dans d'autres niveaux de langue.

Niveau familier	Niveau courant	Niveau soutenu
bagnole		
	repas	
chialer		
	maison	
		deniers

À vous de jouer

Écrivez une lettre

Le colonel prussien écrit une lettre à sa femme : il raconte l'histoire des meurtres et fait part de ses sentiments. Vous alternerez le récit et les commentaires du narrateur, en veillant à respecter les faits et les caractères décrits dans la nouvelle de Maupassant.

Du texte à l'image

Observez la caricature → voir dossier images p. II

Gill, *Le Vainqueur*, caricature parue dans le journal *L'Éclipse*, fin du XIXe siècle.

1 Quels insignes et objets militaires porte le squelette ?

2 Que signifie l'expression « avoir la tête couverte de lauriers » ? Que symbolisent les lauriers depuis l'Antiquité ? Expliquez pourquoi.

3 Quel est le titre de la caricature ? Que dénonce le caricaturiste en « décorant » un squelette ?

4 Comparez le personnage de Gill et le père Milon : en quoi sont-ils des vainqueurs ? et des vaincus ?

La Ficelle

1883

texte intégral

Qui sont les personnages ?

Maître Hauchecorne

Ce paysan économe ramasse un jour un bout de ficelle en allant au marché.

➡ *Pourquoi ce geste va-t-il bouleverser sa vie ?*

Maître Malandain

Ce commerçant rancunier cherche à se venger de maître Hauchecorne.

➡ *De quoi l'accuse-t-il ?*

Le maire

Représentant la loi, il prend son rôle au sérieux et tâche de faire la lumière sur un vol.

➡ *Découvrira-t-il la vérité ?*

La Ficelle

À Harry Alis[1].

Sur toutes les routes autour de Goderville[2], les paysans et leurs femmes s'en venaient vers le bourg; car c'était jour de marché. Les mâles allaient, à pas tranquilles, tout le corps en avant à chaque mouvement de leurs longues jambes torses[3], déformées par les rudes travaux, par la pesée sur la charrue qui fait en même temps monter l'épaule gauche et dévier la taille, par le fauchage des blés qui fait écarter les genoux pour prendre un aplomb[4] solide, par toutes les besognes[5] lentes et pénibles de la campagne. Leur blouse bleue, empesée[6], brillante, comme vernie, ornée au col et aux poignets d'un petit dessin de fil blanc, gonflée autour de leur torse osseux, semblait un ballon prêt à s'envoler, d'où sortaient une tête, deux bras et deux pieds.

Les uns tiraient au bout d'une corde une vache, un veau. Et leurs femmes, derrière l'animal, lui fouettaient les reins d'une branche encore garnie de feuilles, pour hâter[7] sa marche. Elles portaient au bras de larges paniers d'où sortaient des têtes de poulets par-ci, des têtes de canards par-là. Et elles marchaient d'un pas plus court et plus vif que leurs hommes, la taille sèche, droite et drapée dans un petit châle étriqué[8], épinglé sur leur poitrine plate, la tête enveloppée d'un linge blanc collé sur les cheveux et surmontée d'un bonnet.

Puis, un char à bancs[9] passait, au trot saccadé[10] d'un bidet[11], secouant étrangement deux hommes assis côte à

1. Ami de Maupassant.
2. Village normand.
3. Tordues.
4. Équilibre.
5. Tous les travaux.
6. Amidonnée, raide.
7. Presser.
8. Étroit.
9. Voiture à bancs tirée par des chevaux.
10. Irrégulier.
11. Petit cheval trapu.

côte et une femme dans le fond du véhicule, dont elle tenait le bord pour atténuer les durs cahots[1].

Sur la place de Goderville, c'était une foule, une cohue[2] d'humains et de bêtes mélangés. Les cornes des bœufs, les 30 hauts chapeaux à longs poils des paysans riches et les coiffes des paysannes émergeaient[3] à la surface de l'assemblée. Et les voix criardes[4], aiguës, glapissantes[5] formaient une clameur[6]continue et sauvage que dominait parfois un grand éclat poussé par la robuste poitrine d'un campagnard en gaieté, ou le long meuglement d'une vache attachée au mur d'une maison.

Tout cela sentait l'étable, le lait et le fumier, le foin et la sueur, dégageait cette saveur aigre[7], affreuse, humaine et bestiale, particulière aux gens des champs.

40 Maître[8] Hauchecorne, de Bréauté[9], venait d'arriver à Goderville, et il se dirigeait vers la place, quand il aperçut par terre un petit bout de ficelle. Maître Hauchecorne, économe[10] en vrai Normand, pensa que tout était bon à ramasser qui peut servir; et il se baissa péniblement, car il souffrait de rhumatismes. Il prit, par terre, le morceau de corde mince, et il se disposait à le rouler avec soin, quand il remarqua, sur le seuil de sa porte, maître Malandain, le bourrelier[11], qui le regardait. Ils avaient eu des affaires[12] ensemble au sujet d'un licol[13], autrefois, et ils étaient restés 50 fâchés, étant rancuniers tous deux. Maître Hauchecorne fut pris d'une sorte de honte d'être vu ainsi par son ennemi, cherchant dans la crotte un bout de ficelle. Il cacha brusquement sa trouvaille sous sa blouse, puis dans la poche de sa culotte[14]; puis il fit semblant de chercher encore par terre quelque chose qu'il ne trouvait point, et il s'en alla vers le marché, la tête en avant, courbé en deux par ses douleurs.

1. Secousses.
2. Multitude agitée.
3. Apparaissaient.
4. Perçantes (*péjoratif*).
5. Bruyantes (*péjoratif*).
6. Un vacarme.
7. Ce goût piquant.
8. Nom donné à toute personne ayant une position d'autorité, au XIXe siècle.
9. Village à 3 km de Goderville.
10. Peu dépensier.
11. Celui qui fabrique les harnachements des chevaux.
12. Disputes.
13. Lien passé autour du cou des bêtes.
14. Son pantalon.

Il se perdit aussitôt dans la foule criarde et lente, agitée par les interminables marchandages[15]. Les paysans tâtaient les vaches, s'en allaient, revenaient, perplexes[16], toujours dans la crainte d'être mis dedans[17], n'osant jamais se décider, épiant[18] l'œil du vendeur, cherchant sans fin à découvrir la ruse de l'homme et le défaut de la bête. 60

Les femmes, ayant posé à leurs pieds leurs grands paniers, en avaient tiré leurs volailles qui gisaient[19] par terre, liées par les pattes, l'œil effaré[20], la crête écarlate.

Elles écoutaient les propositions, maintenaient leurs prix, l'air sec, le visage impassible[21]; ou bien tout à coup, se décidant au rabais[22] proposé, criaient au client qui s'éloignait lentement:

« C'est dit, maît'Anthime. J'vous l'donne. » 70

Puis, peu à peu, la place se dépeupla, et l'*Angelus*[23] sonnant midi, ceux qui demeuraient trop loin se répandirent dans les auberges.

Chez Jourdain, la grande salle était pleine de mangeurs, comme la vaste cour était pleine de véhicules de toute race, charrettes, cabriolets, chars à bancs, tilburys, carrioles[24] innommables, jaunes de crotte, déformées, rapiécées[25], levant au ciel, comme deux bras, leurs brancards[26], ou bien le nez par terre et le derrière en l'air.

Tout contre les dîneurs attablés, l'immense cheminée, pleine de flamme claire, jetait une chaleur vive dans le dos de la rangée de droite. Trois broches tournaient, chargées de poulets, de pigeons et de gigots; et une délectable[27] odeur de viande rôtie et de jus ruisselant sur la peau rissolée[28], s'envolait de l'âtre, allumait les gaietés, mouillait les bouches. 80

15. Discussions sur le prix.
16. Hésitants.
17. Trompés.
18. Surveillant.
19. Étaient couchées.
20. Affolé.
21. Sans émotion apparente.
22. Acceptant la réduction.
23. Son de cloche annonçant une prière.
24. Tous ces termes désignent des voitures à cheval.
25. Réparées.
26. Bras de la voiture entre lesquels on attelle les chevaux.
27. Délicieuse.
28. Dorée par la cuisson.

Toute l'aristocratie de la charrue mangeait là, chez maît'Jourdain, aubergiste et maquignon[1], un malin qui avait des écus[2].

90 Les plats passaient, se vidaient comme les brocs[3] de cidre jaune. Chacun racontait ses affaires, ses achats et ses ventes. On prenait des nouvelles des récoltes. Le temps était bon pour les verts[4], mais un peu mucre[5] pour les blés.

Tout à coup, le tambour roula, dans la cour, devant la maison. Tout le monde aussitôt fut debout, sauf quelques indifférents, et on courut à la porte, aux fenêtres, la bouche encore pleine et la serviette à la main.

Après qu'il eut terminé son roulement, le crieur public lança d'une voix saccadée[6], scandant ses phrases à 100 contretemps[7] :

« Il est fait assavoir[8] aux habitants de Goderville, et en général à toutes – les personnes présentes au marché, qu'il a été perdu ce matin, sur la route de Beuzeville, entre – neuf heures et dix heures, un portefeuille en cuir noir, contenant cinq cents francs et des papiers d'affaires. On est prié de le rapporter – à la mairie, incontinent[9], ou chez maître Fortuné Houlbrèque, de Manneville[10]. Il y aura vingt francs de récompense. »

Puis l'homme s'en alla. On entendit encore une fois 110 au loin les battements sourds de l'instrument et la voix affaiblie du crieur.

Alors on se mit à parler de cet événement, en énumérant les chances qu'avait maître Houlbrèque de retrouver ou de ne pas retrouver son portefeuille.

Et le repas s'acheva.

On finissait le café, quand le brigadier de gendarmerie parut sur le seuil.

1. Marchand de chevaux.
2. De l'argent.
3. Pichets, carafes.
4. Légumes verts.
5. Humide.
6. Hachée.
7. Ponctuant ses propos par des roulements de tambour (indiqués dans le texte par des tirets).
8. Savoir.
9. Immédiatement.
10. Village à 4 km de Bréauté.

Il demanda :

« Maître Hauchecorne, de Bréauté, est-il ici ? »

Maître Hauchecorne, assis à l'autre bout de la table, répondit : 120

« Me v'là. »

Et le brigadier reprit :

« Maître Hauchecorne, voulez-vous avoir la complaisance[11] de m'accompagner à la mairie. M. le maire voudrait vous parler. »

Le paysan, surpris, inquiet, avala d'un coup son petit verre, se leva et, plus courbé encore que le matin, car les premiers pas après chaque repos étaient particulièrement difficiles, il se mit en route en répétant : 130

« Me v'là, me v'là. »

Et il suivit le brigadier.

Le maire l'attendait, assis dans un fauteuil. C'était le notaire de l'endroit, homme gros, grave, à phrases pompeuses[12].

« Maître Hauchecorne, dit-il, on vous a vu ce matin ramasser, sur la route de Beuzeville, le portefeuille perdu par maître Houlbrèque, de Manneville. »

Le campagnard, interdit[13], regardait le maire, apeuré déjà par ce soupçon qui pesait sur lui, sans qu'il comprît pourquoi. 140

« Mé, mé, j'ai ramassé çu[14] portafeuille ?

– Oui, vous-même.

– Parole d'honneur, j'n'en ai seulement point eu connaissance.

– On vous a vu.

– On m'a vu, mé ? Qui ça qui m'a vu ?

– M. Malandain, le bourrelier. »

11. L'amabilité.

12. Solennelles, cérémonieuses.

13. Stupéfait

14. Ce (*en patois normand*).

Sur mon salut

Cette expression donne de la solennité à une promesse, à un serment (équivalent de « Sur ma vie »). Dans la religion chrétienne, le salut est l'espoir d'être sauvé du péché et d'accéder au bonheur éternel après la mort.

Alors le vieux se rappela, comprit et, rougissant de
150 colère :

« Ah ! i m'a vu, çu manant[1] ! I m'a vu ramasser c'te ficelle-là, tenez, m'sieu le maire. »

Et, fouillant au fond de sa poche, il en retira le petit bout de corde.

Mais le maire, incrédule, remuait la tête.

« Vous ne me ferez pas accroire[2], maître Hauchecorne, que M. Malandain, qui est un homme digne de foi[3], a pris ce fil pour un portefeuille. »

Le paysan, furieux, leva la main, cracha de côté pour
160 attester son honneur, répétant :

« C'est pourtant la vérité du bon Dieu, la sainte vérité, m'sieu le maire. Là, sur mon âme et mon salut, je l'répète. »

Le maire reprit :

« Après avoir ramassé l'objet, vous avez même encore cherché longtemps dans la boue, si quelque pièce de monnaie ne s'en était pas échappée. »

Le bonhomme suffoquait[4] d'indignation et de peur.

« Si on peut dire !... si on peut dire... des menteries[5] comme ça pour dénaturer[6] un honnête homme ! Si on peut dire !... »

Il eut beau protester, on ne le crut pas.

170 Il fut confronté avec M. Malandain, qui répéta et soutint son affirmation. Ils s'injurièrent une heure durant. On fouilla, sur sa demande, maître Hauchecorne. On ne trouva rien sur lui.

Enfin le maire, fort perplexe, le renvoya, en le prévenant qu'il allait aviser[7] le parquet et demander des ordres.

La nouvelle s'était répandue. À sa sortie de la mairie, le vieux fut entouré, interrogé avec une curiosité sérieuse

1. Paysan (*péjoratif*).
2. Croire.
3. Digne de confiance.
4. S'étouffait.
5. Mensonges
6. Accuser injustement.
7. Prévenir.

→ Du texte à l'image p. 45

Histoire d'une fille de ferme

Téléfilm réalisé par Denis Malleval pour France 2, avec Marie Kremer et Olivier Marchal, 2007.

→ Du texte à l'image p. 63

Le Vainqueur

Caricature de Gill parue dans *L'Éclipse*, fin XIXe siècle.

→ Du texte à l'image p. 81

Paysans au marché de Valognes

Michel-Adrien Servant,
aquarelle et gouache sur papier, 1925.

→ Du texte à l'image p. 111

Le Rosier de Mme Husson

Affiche du film réalisé par Jean Boyer, 1950.

ou goguenarde[8], mais où n'entrait aucune indignation. Et il se mit à raconter l'histoire de la ficelle. On ne le crut pas. On riait.

Il allait, arrêté par tous, arrêtant ses connaissances, recommençant sans fin son récit et ses protestations, montrant ses poches retournées, pour prouver qu'il n'avait rien.

On lui disait :

« Vieux malin, va ! »

Et il se fâchait, s'exaspérant, enfiévré[9], désolé de n'être pas cru, ne sachant que faire, et contant toujours son histoire.

La nuit vint. Il fallait partir. Il se mit en route avec trois voisins à qui il montra la place où il avait ramassé le bout de corde ; et tout le long du chemin il parla de son aventure.

Le soir, il fit une tournée dans le village de Bréauté, afin de la dire à tout le monde. Il ne rencontra que des incrédules[10].

Il en fut malade toute la nuit.

Le lendemain, vers une heure de l'après-midi, Marius Paumelle, valet de ferme de maître Breton, cultivateur à Ymauville, rendait le portefeuille et son contenu à maître Houlbrèque, de Manneville.

Cet homme prétendait avoir, en effet, trouvé l'objet sur la route ; mais, ne sachant pas lire, il l'avait rapporté à la maison et donné à son patron.

La nouvelle se répandit aux environs. Maître Hauchecorne en fut informé. Il se mit aussitôt en tournée et commença à narrer son histoire complétée du dénouement[11]. Il triomphait.

180

190

200

Le parquet

Le *parquet* désigne à la fois un lieu (l'espace d'une salle de justice entre les sièges des juges et la barre où se tiennent les avocats) et l'ensemble des magistrats du ministère public, exerçant la justice au nom de la société.

8. Moqueuse.
9. Excité.
10. Personnes qui ne le croyaient pas.
11. De la fin.

« C'qui m'faisait deuil[1], disait-il, c'est point tant la chose, comprenez-vous; mais c'est la menterie. Y a rien qui vous nuit comme d'être en réprobation[2] pour une menterie. »

Tout le jour il parlait de son aventure, il la contait sur les routes aux gens qui passaient, au cabaret[3] aux gens qui buvaient, à la sortie de l'église le dimanche suivant. Il arrêtait des inconnus pour la leur dire. Maintenant, il était tranquille, et pourtant quelque chose le gênait sans qu'il sût au juste ce que c'était. On avait l'air de plaisanter en l'écoutant. On ne paraissait pas convaincu. Il lui semblait sentir des propos derrière son dos.

Le mardi de l'autre semaine, il se rendit au marché de Goderville, uniquement poussé par le besoin de conter son cas.

Malandain, debout sur sa porte, se mit à rire en le voyant passer. Pourquoi ?

Il aborda un fermier de Criquetot[4], qui ne le laissa pas achever et, lui jetant une tape dans le creux de son ventre, lui cria par la figure : « Gros malin, va ! » Puis lui tourna les talons.

Maître Hauchecorne demeura interdit et de plus en plus inquiet. Pourquoi l'avait-on appelé « gros malin » ?

Quand il fut assis à table, dans l'auberge de Jourdain, il se remit à expliquer l'affaire.

Un maquignon de Montivilliers[5] lui cria :

« Allons, allons, vieille pratique[6], je la connais, ta ficelle ! »

Hauchecorne balbutia[7] :

« Puisqu'on l'a retrouvé çu portafeuille ! »

Mais l'autre reprit :

1. Me désolait.
2. Condamné.
3. Café.
4. Village à 7 km de Goderville.
5. Village à 16 km de Goderville.
6. Fripouille, mauvais sujet.
7. Bredouilla.

« Tais-té, mon pé[8], y en a un qui trouve et y en a un qui r'porte. Ni vu ni connu, je t'embrouille[9]. » 240

Le paysan resta suffoqué[10]. Il comprenait enfin. On l'accusait d'avoir fait reporter le portefeuille par un compère[11], par un complice.

Il voulut protester. Toute la table se mit à rire.

Il ne put achever son dîner et s'en alla, au milieu des moqueries.

Il rentra chez lui, honteux et indigné, étranglé par la colère, par la confusion, d'autant plus atterré[12] qu'il était capable, avec sa finauderie[13] de Normand, de faire 250 ce dont on l'accusait, et même de s'en vanter comme d'un bon tour. Son innocence lui apparaissait confusément comme impossible à prouver, sa malice[14] étant connue. Et il se sentait frappé au cœur par l'injustice du soupçon.

Alors il recommença à conter l'aventure, en allongeant chaque jour son récit, ajoutant chaque fois des raisons nouvelles, des protestations plus énergiques, des serments[15] plus solennels qu'il imaginait, qu'il préparait dans ses heures de solitude, l'esprit uniquement occupé par l'histoire de la ficelle. On le croyait d'autant moins 260 que sa défense était plus compliquée et son argumentation plus subtile.

« Ça, c'est des raisons d'menteux », disait-on derrière son dos.

Il le sentait, se rongeait les sangs[16], s'épuisait en efforts inutiles.

Il dépérissait[17] à vue d'œil.

Les plaisants[18] maintenant lui faisaient conter « la Ficelle » pour s'amuser, comme on fait conter sa bataille

8. Déformation de « mon père » pour « mon vieux ».
9. Je trompe tout le monde (*familier*).
10. Stupéfait.
11. Partenaire.
12. Effondré.
13. Son esprit rusé.
14. Ruse.
15. Promesses.
16. S'inquiétait.
17. S'affaiblissait.
18. Moqueurs.

270 au soldat qui a fait campagne[1]. Son esprit, atteint à fond[2], s'affaiblissait.

Vers la fin de décembre, il s'alita[3].

Il mourut dans les premiers jours de janvier et, dans le délire de l'agonie[4], il attestait son innocence, répétant :

« Une 'tite ficelle… une 'tite ficelle… t'nez, la voilà, m'sieu le maire. »

1. Participé à une guerre.
2. Profondément.
3. Se mit au lit, car il était malade.
4. Période qui précède la mort.

Pause lecture 3

La Ficelle

Sur le chemin du marché

Une journée mémorable

Avez-vous bien lu ?

Pourquoi les paysannes ont-elles le visage impassible ?

❏ Elles sont fatiguées des marchandages.
❏ Elles ne veulent pas vendre leurs bêtes.
❏ Cela fait partie de leur stratégie de vente.

Le marché

1. Des lignes 1 à 39, quels paragraphes évoquent des sensations visuelles, auditives, olfactives ? Quel est l'effet produit par cette répartition ?
2. Que font les hommes sur le marché ? et leurs femmes ?
3. Que signifie « mâles » (l. 3) ? Relevez les associations entre hommes et bêtes (l. 1 à 39). Quelle expression résume cette comparaison ?

L'auberge

4. Comment s'appelle l'aubergiste ? À qui Maupassant a-t-il emprunté ce nom ?
5. Des lignes 82 à 86, relevez les jeux sur les sonorités et les rythmes ternaires. Quel effet est ainsi produit ?

De la farce à la tragédie

Avez-vous bien lu ?

Pourquoi l'histoire de Marius ne fait-elle pas taire les rumeurs ?

❑ Elle est fausse.

❑ Les paysans se vengent de Hauchecorne.

❑ On pense que Marius et Hauchecorne sont complices.

Une mise en scène comique (l. 40 à 56)

1 De quoi maître Hauchecorne est-il accusé ? Est-il coupable ?

2 Comment la ficelle est-elle désignée ?

3 Relevez le champ lexical du regard. Comment appelle-t-on, au théâtre, une scène jouée sans paroles ?

De la farce au drame (l. 133 à 197)

4 Comparez la façon de parler du maire et de maître Hauchecorne.

5 Par quel pronom sont désignés les autres paysans ? Quel est l'effet créé ? Montrez que maître Hauchecorne souffre de leurs plaisanteries. Son attitude est-elle comique ? inquiétante ?

Du drame à la tragédie (l. 198 à 276)

6 De quoi Hauchecorne meurt-il ? En comparant l'objet qui a provoqué toute l'histoire et ses conséquences, peut-on parler de tragique ?

Les ficelles de l'écriture

Avez-vous bien lu ?

Pourquoi Hauchecorne a-t-il honte de ramasser la ficelle ?

❑ Ce geste prouve son avarice.

❑ Ce geste révèle sa pauvreté.

❑ Le bourrelier le regarde.

Les fils cachés de l'histoire

1 Pourquoi Malandain a-t-il accusé maître Hauchecorne ?

2 Relevez des lignes 226 à 241 trois apostrophes qui révèlent ce que les paysans pensent de maître Hauchecorne.

3 Quelle particularité physique affecte les paysans normands (l. 1 à 13) ? Quel lien est établi entre le physique et le mental ?

Le conteur marionnettiste

4 « Je la connais ta ficelle » (l. 235-236) : sur quoi porte le jeu de mots ?

5 « Si on peut dire... » (l. 167) : que signifient ces mots dans la bouche du vieux paysan ? Comment le piège se referme-t-il sur lui ?

6 « Alors il recommença à conter l'aventure... » (l. 255 à 260) : comment la construction de la phrase est-elle à l'image de ce qu'elle signifie ?

Vers l'expression

Vocabulaire

1. **Les personnages de l'histoire portent des noms courants en Normandie, mais ils ne sont pas choisis au hasard. À quel animal le nom *Hauchecorne* fait-il penser ? Qu'est-ce qu'un « malandrin » ? Qui porte un nom aux sonorités très proches (paronyme) ?**

2. **Quels mots sont employés pour décrire les véhicules dans la cour de l'auberge (l. 74 à 79) ? Comment s'appelle cette figure de style ? Quel rapport établit-elle entre l'extérieur et l'intérieur de l'auberge ?**

3. **Recopiez et complétez le tableau suivant en soulignant les suffixes diminutifs que vous avez employés dans la 3e colonne.**

Mâle	Femelle	Petit
renard		
	louve	
canard		
	chatte	

À vous de jouer

Écrivez un dialogue de théâtre

Écrivez sous forme de dialogue la confrontation entre maître Hauchecorne et le bourrelier. Vous indiquerez par des didascalies le ton, les gestes et les déplacements des personnages. Vous pouvez inventer des expressions pour traduire la réalité paysanne et faire rire votre lecteur.

Du texte à l'image

Observez le tableau → voir dossier images p. III

Michel-Adrien Servant, *Paysans au marché de Valognes*, aquarelle et gouache sur papier, 1925.

1. Décrivez les vêtements des paysans et des paysannes.
2. Où se déroule la scène ? Expliquez le geste de main du paysan qui est vu de dos. Qu'essaie-t-il de faire ?
3. L'affaire semble-t-elle bien partie ? Décrivez l'expression du fermier à droite et du couple à gauche.
4. Diriez-vous de ce tableau qu'il est réaliste ? et du récit de Maupassant ? Pourquoi ?

Le Rosier de Mme Husson

1887

texte intégral

Qui sont les personnages ?

Le narrateur

Raoul Aubertin est un Parisien qui séjourne à Gisors. Il y retrouve un ancien camarade.

➨ *Va-t-il comprendre le mystère du rosier ?*

Madame Husson

Cette vieille bigote de Gisors tient absolument à récompenser la vertu dans sa ville.

➨ *Trouvera-t-elle une jeune fille digne du titre de rosière ?*

Isidore

Jeune homme naïf, il voit sa vertu récompensée par la considération générale et une coquette somme.

➨ *Saura-t-il se montrer digne de son prix ?*

Le Rosier de Mme Husson

NOUS VENIONS DE PASSER GISORS[1], où je m'étais réveillé en entendant le nom de la ville crié par les employés, et j'allais m'assoupir de nouveau, quand une secousse épouvantable me jeta sur la grosse dame qui me faisait vis-à-vis[2].

Une roue s'était brisée à la machine qui gisait[3] en travers de la voie. Le tender[4] et le wagon de bagages, déraillés aussi, s'étaient couchés à côté de cette mourante qui râlait, geignait, sifflait, soufflait, crachait, ressemblait à ces chevaux tombés dans la rue, dont le flanc bat, dont la poitrine palpite, dont les naseaux[5] fument et dont tout le corps frissonne, mais qui ne paraissent plus capables du moindre effort pour se relever et se remettre à marcher.

Il n'y avait ni morts ni blessés, quelques contusionnés[6] seulement, car le train n'avait pas encore repris son élan et nous regardions, désolés, la grosse bête de fer estropiée[7], qui ne pourrait plus nous traîner et qui barrait la route pour longtemps peut-être, car il faudrait sans doute faire venir de Paris un train de secours.

Il était alors dix heures du matin, et je me décidai tout de suite à regagner Gisors pour y déjeuner.

Tout en marchant sur la voie, je me disais : « Gisors, Gisors, mais je connais quelqu'un ici. Qui donc ? Gisors ? Voyons, j'ai un ami dans cette ville. » Un nom soudain jaillit dans mon souvenir : « Albert Marambot. » C'était un ancien camarade de collège, que je n'avais pas vu depuis douze ans au moins, et qui exerçait à Gisors la profession de médecin. Souvent il m'avait écrit pour m'inviter ;

1. Ville de Normandie.
2. Était assise en face de moi.
3. Était couchée.
4. Wagon contenant le combustible et l'eau nécessaires à la locomotive à vapeur.
5. Narines.
6. Personnes ayant des bleus.
7. Blessée au pied (ici, à la roue).

j'avais toujours promis, sans tenir. Cette fois enfin je profiterais de l'occasion.

30 Je demande au premier passant: « Savez-vous où demeure M. le docteur Marambot? » Il répondit sans hésiter, avec l'accent traînard des Normands: « Rue Dauphine. » J'aperçus en effet, sur la porte de la maison indiquée, une grande plaque de cuivre où était gravé le nom de mon ancien camarade. Je sonnai; mais la servante, une fille à cheveux jaunes, aux gestes lents, répétait d'un air stupide: « I y est paas, i y est paas[1]. »

J'entendais un bruit de fourchettes et de verres, et je criai: « Hé! Marambot. » Une porte s'ouvrit, et un gros homme à
40 favoris[2] parut, l'air mécontent, une serviette à la main.

Certes, je ne l'aurais pas reconnu. On lui aurait donné quarante-cinq ans au moins, et, en une seconde, toute la vie de province m'apparut, qui alourdit, épaissit et vieillit. Dans un seul élan de ma pensée, plus rapide que mon geste pour lui tendre la main, je connus son existence, sa manière d'être, son genre d'esprit et ses théories sur le monde. Je devinai les longs repas qui avaient arrondi son ventre, les somnolences après dîner, dans la torpeur d'une lourde digestion arrosée de cognac, et les vagues regards
50 jetés sur les malades avec la pensée de la poule rôtie qui tourne devant le feu. Ses conversations sur la cuisine, sur le cidre, l'eau-de-vie[3] et le vin, sur la manière de cuire certains plats et de bien lier[4] certaines sauces me furent révélées, rien qu'en apercevant l'empâtement[5] rouge de ses joues, la lourdeur de ses lèvres, l'éclat morne[6] de ses yeux.

Je lui dis: « Tu ne me reconnais pas. Je suis Raoul Aubertin. »

1. Il [mon maître] n'est pas là.
2. Cheveux qui descendent sur les joues.
3. Alcool fort.
4. Faire épaissir.
5. La grosseur.
6. Éteint.

Il ouvrit les bras et faillit m'étouffer, et sa première phrase fut celle-ci :

« Tu n'as pas déjeuné, au moins ?

– Non.

– Quelle chance ! Je me mets à table et j'ai une excellente truite. »

Cinq minutes plus tard je déjeunais en face de lui.

Je lui demandai :

« Tu es resté garçon[7] ?

– Parbleu !

– Et tu t'amuses ici ?

– Je ne m'ennuie pas, je m'occupe. J'ai des malades, des amis. Je mange bien, je me porte bien, j'aime à rire et chasser. Ça va.

– La vie n'est pas trop monotone dans cette petite ville ?

– Non, mon cher, quand on sait s'occuper. Une petite ville, en somme, c'est comme une grande. Les événements et les plaisirs y sont moins variés, mais on leur prête[8] plus d'importance ; les relations y sont moins nombreuses, mais on se rencontre plus souvent. Quand on connaît toutes les fenêtres d'une rue, chacune d'elles vous occupe et vous intrigue davantage qu'une rue entière à Paris.

« C'est très amusant, une petite ville, tu sais, très amusant, très amusant. Tiens, celle-ci, Gisors, je la connais sur le bout du doigt depuis son origine jusqu'à aujourd'hui. Tu n'as pas idée comme son histoire est drôle.

– Tu es de Gisors ?

– Moi ? Non. Je suis de Gournay, sa voisine et sa rivale. Gournay est à Gisors ce que Lucullus était à Cicéron. Ici, tout est pour la gloire, on dit : "les orgueilleux de Gisors". À Gournay, tout est pour le ventre, on dit : "les maqueux[9]

60

70

80

Lucullus et Cicéron

Lucullus est un général romain célèbre pour ses dîners luxueux. Son nom est passé dans la langue courante pour désigner un fin gourmet, qui aime recevoir splendidement ses invités.
Cicéron est un célèbre orateur romain. Il est l'image même de la vertu et du sérieux.

7. Célibataire.
8. Donne.
9. Goinfres (*en patois normand*).

de Gournay". Gisors méprise Gournay, mais Gournay rit
90 de Gisors. C'est très comique, ce pays-ci. »

Je m'aperçus que je mangeais quelque chose de vraiment exquis[1], des œufs mollets[2] enveloppés dans un fourreau[3] de gelée de viande aromatisée aux herbes et légèrement saisie dans la glace.

Je dis en claquant la langue pour flatter Marambot: « Bon, ceci. »

Il sourit: « Deux choses nécessaires, de la bonne gelée, difficile à obtenir, et de bons œufs. Oh! les bons œufs, que c'est rare, avec le jaune un peu rouge, bien savoureux!
100 Moi, j'ai deux basses-cours, une pour l'œuf, l'autre pour la volaille. Je nourris mes pondeuses d'une manière spéciale. J'ai mes idées. Dans l'œuf comme dans la chair du poulet, du bœuf ou du mouton, dans le lait, dans tout, on retrouve et on doit goûter le suc[4], la quintessence[5] des nourritures antérieures de la bête. Comme on pourrait mieux manger si on s'occupait davantage de cela! »

Je riais.

« Tu es donc gourmand?

– Parbleu! Il n'y a que les imbéciles qui ne soient pas
110 gourmands. On est gourmand comme on est artiste, comme on est instruit, comme on est poète. Le goût, mon cher, c'est un organe délicat, perfectible et respectable comme l'œil et l'oreille. Manquer de goût, c'est être privé d'une faculté exquise, de la faculté de discerner[6] la qualité des aliments, comme on peut être privé de celle de discerner les qualités d'un livre ou d'une œuvre d'art; c'est être privé d'un sens essentiel, d'une partie de la supériorité humaine; c'est appartenir à une des innombrables classes d'infirmes, de disgraciés[7] et de sots dont se com-

Le général de Blanmont

Né en 1770, il s'engage à 14 ans dans les armées royales. Il devient officier dans la Grande Armée de Napoléon Ier. Il est nommé général de brigade en 1815 et finit ses jours à Gisors, sa ville natale.

1. Délicieux.
2. Cuits dans leur coquille: le blanc est ferme et le jaune crémeux.
3. Étui.
4. La saveur, le goût.
5. Le concentré.
6. Distinguer.
7. Malheureux.

pose notre race; c'est avoir la bouche bête, en un mot, comme on a l'esprit bête. Un homme qui ne distingue pas une langouste d'un homard, un hareng, cet admirable poisson qui porte en lui toutes les saveurs, tous les arômes de la mer, d'un maquereau ou d'un merlan, et une poire crassane[8] d'une duchesse[9], est comparable à celui qui confondrait Balzac[10] avec Eugène Sue[11], une symphonie de Beethoven[12] avec une marche militaire d'un chef de musique de régiment, et l'Apollon du Belvédère[13] avec la statue du général de Blanmont !

– Qu'est-ce donc que le général de Blanmont ?

– Ah ! c'est vrai, tu ne sais pas. On voit bien que tu n'es point de Gisors ? Mon cher, je t'ai dit tout à l'heure qu'on appelait les habitants de cette ville les "orgueilleux de Gisors" et jamais épithète[14] ne fut mieux méritée. Mais déjeunons d'abord, et je te parlerai de notre ville en te la faisant visiter. »

Il cessait de parler de temps en temps pour boire lentement un demi-verre de vin qu'il regardait avec tendresse en le reposant sur la table.

Une serviette nouée au col, les pommettes rouges, l'œil excité, les favoris épanouis autour de sa bouche en travail, il était amusant à voir.

Il me fit manger jusqu'à la suffocation[15]. Puis, comme je voulais regagner la gare, il me saisit le bras et m'entraîna par les rues. La ville, d'un joli caractère provincial, dominée par sa forteresse, le plus curieux monument de l'architecture militaire du VIIe siècle qui soit en France, domine à son tour une longue et verte vallée où les lourdes vaches de Normandie broutent et ruminent dans les pâturages.

8. Poire gris jaune à la chair ferme et acidulée.
9. Poire fondante.
10. Romancier majeur du XIXe siècle, auteur de *La Comédie humaine*.
11. Écrivain célèbre pour ses romans-feuilletons (XIXe s.).
12. Compositeur allemand.
13. Sculpture antique du dieu Apollon, symbole de beauté et de proportion.
14. Qualificatif.
15. L'étouffement.

Le docteur me dit : « Gisors, ville de 4000 habitants, aux confins de l'Eure, mentionnée déjà dans les Commentaires de César[1] : Caesaris ostium, puis Caesartium, Caesortium, Gisortium, Gisors. Je ne te mènerai pas visiter le campement de l'armée romaine dont les traces sont encore très visibles. »

Je riais et je répondis : « Mon cher, il me semble que tu es atteint d'une maladie spéciale que tu devrais étudier, toi médecin, et qu'on appelle l'esprit de clocher[2]. »

160 Il s'arrêta net : « L'esprit de clocher, mon ami, n'est pas autre chose que le patriotisme naturel. J'aime ma maison, ma ville et ma province par extension, parce que j'y trouve encore les habitudes de mon village ; mais si j'aime la frontière, si je la défends, si je me fâche quand le voisin y met le pied, c'est parce que je me sens déjà menacé dans ma maison, parce que la frontière que je ne connais pas est le chemin de ma province. Ainsi moi, je suis Normand, un vrai Normand ; eh bien, malgré ma rancune contre l'Allemand et mon désir de vengeance[3], je
170 ne le déteste pas, je ne le hais pas d'instinct comme je hais l'Anglais, l'ennemi véritable, l'ennemi héréditaire[4], l'ennemi naturel du Normand, parce que l'Anglais a passé sur ce sol habité par mes aïeux, l'a pillé et ravagé vingt fois, et que l'aversion[5] de ce peuple perfide[6] m'a été transmise avec la vie, par mon père… Tiens, voici la statue du général.

– Quel général ?

– Le général de Blanmont ! Il nous fallait une statue. Nous ne sommes pas pour rien les orgueilleux de Gisors !
180 Alors nous avons découvert le général de Blanmont. Regarde donc la vitrine de ce libraire. »

L'Anglais, l'ennemi véritable

Après la victoire de Guillaume le Conquérant, duc de Normandie devenu roi d'Angleterre en 1066, les rois anglais possèdent des fiefs en Normandie, qu'ils perdent sous Philippe Auguste en 1204, mais revendiquent, notamment durant la guerre de Cent Ans au cours de laquelle ils débarquent à plusieurs reprises en Normandie.

1. Mémoires de César sur la guerre des Gaules et la guerre civile (Ier siècle av. J.-C.).
2. Attachement passionné à l'endroit où l'on vit (*terme souvent péjoratif*).
3. Allusion à la défaite de la France en 1870 et à l'occupation prussienne qui suivit.
4. Traditionnel.
5. La haine.
6. Traître.

Il m'entraîna vers la devanture d'un libraire où une quinzaine de volumes jaunes, rouges ou bleus attiraient l'œil.

En lisant les titres, un rire fou me saisit; c'étaient: *Gisors, ses origines, son avenir*, par M. X..., membre de plusieurs sociétés savantes;

Histoire de Gisors, par l'abbé A...;

Gisors, de César à nos jours, par M. B..., propriétaire;

Gisors et ses environs, par le docteur C. D...; 190

Les Gloires de Gisors, par un chercheur.

« Mon cher, reprit Marambot, il ne se passe pas une année, pas une année, tu entends bien, sans que paraisse ici une nouvelle histoire de Gisors; nous en avons vingt-trois.

– Et les gloires de Gisors? demandai-je.

– Oh! je ne te les dirai pas toutes, je te parlerai seulement des principales. Nous avons eu d'abord le général de Blanmont, puis le baron Davillier[7], le célèbre céramiste qui fut l'explorateur de l'Espagne et des Baléares 200 et révéla aux collectionneurs les admirables faïences hispano-arabes[8]. Dans les lettres, un journaliste de grand mérite, mort aujourd'hui, Charles Brainne, et parmi les bien vivants le très éminent[9] directeur du *Nouvelliste de Rouen*, Charles Lapierre[10]... et encore beaucoup d'autres, beaucoup d'autres... »

Nous suivions une longue rue, légèrement en pente, chauffée d'un bout à l'autre par le soleil de juin, qui avait fait rentrer chez eux les habitants.

Tout à coup, à l'autre bout de cette voie, un homme 210 apparut, un ivrogne qui titubait.

7. Collectionneur de tableaux qu'il légua au Louvre à sa mort en 1883.
8. Céramiques datant du Xᵉ au XIIᵉ siècle, époque où les califes musulmans de Cordoue régnaient sur l'Espagne.
9. Remarquable.
10. Brainne et Lapierre: Maupassant s'amuse à citer deux de ses amis natifs de Gisors.

Il arrivait, la tête en avant, les bras ballants[1], les jambes molles, par périodes de trois, six ou dix pas rapides, que suivait toujours un repos. Quand son élan énergique et court l'avait porté au milieu de la rue, il s'arrêtait net et se balançait sur ses pieds, hésitant entre la chute et une nouvelle crise d'énergie. Puis il repartait brusquement dans une direction quelconque. Il venait alors heurter une maison sur laquelle il semblait se coller, comme s'il voulait entrer dedans, à travers le mur. Puis il se retournait d'une secousse et regardait devant lui, la bouche ouverte, les yeux clignotants sous le soleil, puis d'un coup de reins, détachant son dos de la muraille, il se remettait en route.

Un petit chien jaune, un roquet[2] famélique[3], le suivait en aboyant, s'arrêtant quand il s'arrêtait, repartant quand il repartait.

« Tiens, dit Marambot, voilà le rosier de Mme Husson. »

Je fus très surpris et je demandai : « Le rosier de Mme Husson, qu'est-ce que tu veux dire par là ? »

Le médecin se mit à rire.

« Oh ! c'est une manière d'appeler les ivrognes que nous avons ici. Cela vient d'une vieille histoire passée maintenant à l'état de légende, bien qu'elle soit vraie en tous points.

– Est-elle drôle, ton histoire ?

– Très drôle.

– Alors, raconte-la.

– Très volontiers. »

Il y avait autrefois dans cette ville une vieille dame, très vertueuse[4] et protectrice de la vertu, qui s'appelait Mme Husson. Tu sais, je te dis les noms véritables et pas des noms de fantaisie. Mme Husson s'occupait parti-

1. Pendant le long du corps.
2. Petit chien qui aboie sans cesse.
3. Affamé
4. Aimant la moralité.

culièrement des bonnes œuvres[5], de secourir les pauvres et d'encourager les méritants[6]. Petite, trottant court[7], ornée d'une perruque de soie noire, cérémonieuse, polie, en fort bons termes avec le bon Dieu représenté par l'abbé Malou, elle avait une horreur profonde, une horreur native[8] du vice, et surtout du vice que l'Église appelle luxure[9]. Les grossesses avant mariage la mettaient hors d'elle, l'exaspéraient jusqu'à la faire sortir de son caractère. 250

Or c'était l'époque où l'on couronnait des rosières aux environs de Paris, et l'idée vint à Mme Husson d'avoir une rosière à Gisors.

Elle s'en ouvrit à l'abbé Malou, qui dressa aussitôt une liste de candidates.

Mais Mme Husson était servie par une bonne, par une vieille bonne nommée Françoise, aussi intraitable[10] que sa patronne.

Dès que le prêtre fut parti, la maîtresse appela sa servante et lui dit : 260

« Tiens, Françoise, voici les filles que me propose M. le curé pour le prix de vertu ; tâche de savoir ce qu'on pense d'elles dans le pays. »

Et Françoise se mit en campagne. Elle recueillit tous les potins[11], toutes les histoires, tous les propos, tous les soupçons. Pour ne rien oublier, elle écrivait cela avec la dépense, sur son livre de cuisine et le remettait chaque matin à Mme Husson, qui pouvait lire après avoir ajusté ses lunettes sur son nez mince :

Pain .... quatre sous. 270

Lait .... deux sous.

Beurre .... huit sous.

Les rosières

Certaines villes récompensaient, une fois par an, la jeune fille la plus sage et la plus vertueuse par une couronne de roses et un don (bijou ou argent). L'origine de cette coutume remonte à saint Médard, évêque du VIe siècle.

5. Actions charitables.
6. Personnes dignes d'être aidées.
7. Marchant rapidement sur de petites jambes.
8. Naturelle.
9. Plaisir sexuel.
10. Sévère
11. Rumeurs.

Malvina Levesque s'a dérangé[1] l'an dernier avec Mathurin Poilu.

Un gigot .... vingt-cinq sous.

Sel .... un sou.

Rosalie Vatinel qu'a été rencontrée dans le bois Riboudet avec Césaire Piénoir par Mme Onésime repasseuse[2], le vingt juillet à la brune[3].

280 Radis .... un sou.

Vinaigre .... deux sous.

Sel d'oseille .... deux sous.

Joséphine Durdent qu'on ne croit pas qu'al a fauté nonobstant qu'al est en correspondance avec[4] le fil Oportun qu'est en service à Rouen et qui lui a envoyé un bonnet en cado par la diligence.

Pas une ne sortit intacte de cette enquête scrupuleuse[5]. Françoise interrogeait tout le monde, les voisins, les fournisseurs, l'instituteur, les sœurs de l'école et recueillait les 290 moindres bruits.

Comme il n'est pas une fille dans l'univers sur qui les commères[6] n'aient jasé[7], il ne se trouva pas dans le pays une seule jeune personne à l'abri d'une médisance[8].

Or Mme Husson voulait que la rosière de Gisors, comme la femme de César, ne fût même pas soupçonnée, et elle demeurait effarée[9], désolée, désespérée, devant le livre de cuisine de sa bonne.

On élargit alors le cercle des perquisitions[10] jusqu'aux villages environnants ; on ne trouva rien.

300 Le maire fut consulté. Ses protégées échouèrent. Celles du Dr Barbesol n'eurent pas plus de succès, malgré la précision de ses garanties scientifiques.

1. A flirté.
2. Ouvrière qui repasse le linge.
3. La nuit tombée.
4. Bien qu'elle écrive au.
5. Précise.
6. Bavardes (*péjoratif*).
7. Parlé en mal.
8. Accusation.
9. Effrayée.
10. Recherches.

Or, un matin, Françoise, qui rentrait d'une course, dit à sa maîtresse :

« Voyez-vous, madame, si vous voulez couronner quelqu'un, n'y a qu'Isidore dans la contrée. »

Mme Husson resta rêveuse.

Elle le connaissait bien, Isidore, le fils de Virginie la fruitière. Sa chasteté proverbiale[11] faisait la joie de Gisors depuis plusieurs années déjà, servait de thème plaisant aux conversations de la ville et d'amusement pour les filles qui s'égayaient[12] à le taquiner. Âgé de vingt ans passés, grand, gauche[13], lent et craintif, il aidait sa mère dans son commerce et passait ses jours à éplucher des fruits ou des légumes, assis sur une chaise devant la porte.

Il avait une peur maladive des jupons[14] qui lui faisait baisser les yeux dès qu'une cliente le regardait en souriant, et cette timidité bien connue le rendait le jouet de tous les espiègles[15] du pays.

Les mots hardis, les gauloiseries[16], les allusions graveleuses[17] le faisaient rougir si vite que le Dr Barbesol l'avait surnommé le thermomètre de la pudeur[18]. Savait-il ou ne savait-il pas ? se demandaient les voisins, les malins. Était-ce le simple pressentiment de mystères ignorés et honteux, ou bien l'indignation pour les vils[19] contacts ordonnés par l'amour qui semblait émouvoir si fort le fils de la fruitière Virginie ? Les galopins[20] du pays en courant devant sa boutique hurlaient des ordures[21] à pleine bouche afin de le voir baisser les yeux ; les filles s'amusaient à passer et repasser devant lui en chuchotant des polissonneries[22] qui le faisaient rentrer dans la maison. Les plus hardies le provoquaient ouvertement, pour rire, pour s'amuser, lui donnaient des rendez-vous, lui proposaient un tas de choses abominables.

310

320

330

11. Connue de tous.
12. S'amusaient.
13. Maladroit.
14. Dessous portés sous la jupe ; ici, désigne toutes les femmes.
15. Plaisantins.
16. Grossièretés.
17. Vulgaires.
18. Isidore rougit plus ou moins selon sa gêne, comme le mercure monte ou descend dans un thermomètre selon la chaleur.
19. Honteux.
20. Jeunes garçons.
21. Grossièretés.
22. Propos coquins.

Donc Mme Husson était devenue rêveuse.

Certes, Isidore était un cas de vertu exceptionnel, notoire[1], inattaquable. Personne, parmi les plus sceptiques[2], parmi les plus incrédules, n'aurait pu, n'aurait osé soupçonner Isidore de la plus légère infraction[3] à une loi quelconque de la morale. On ne l'avait jamais vu non plus dans un café, 340 jamais rencontré le soir dans les rues. Il se couchait à huit heures et se levait à quatre. C'était une perfection, une perle.

Cependant Mme Husson hésitait encore. L'idée de substituer un rosier à une rosière la troublait, l'inquiétait un peu, et elle se résolut à consulter l'abbé Malou.

L'abbé Malou répondit : « Qu'est-ce que vous désirez récompenser, madame ? C'est la vertu, n'est-ce pas, et rien que la vertu.

« Que vous importe, alors, qu'elle soit mâle ou femelle ! La vertu est éternelle, elle n'a pas de patrie et pas de sexe : 350 elle est *la Vertu.* »

Encouragée ainsi, Mme Husson alla trouver le maire.

Il approuva tout à fait. « Nous ferons une belle cérémonie, dit-il. Et une autre année, si nous trouvons une femme aussi digne qu'Isidore, nous couronnerons une femme. C'est même là un bel exemple que nous donnerons à Nanterre. Ne soyons pas exclusifs, accueillons tous les mérites. »

Isidore, prévenu, rougit très fort et sembla content.

Le couronnement fut donc fixé au 15 août, fête de la 360 Vierge Marie et de l'empereur Napoléon.

La municipalité avait décidé de donner un grand éclat à cette solennité et on avait disposé l'estrade sur les Couronneaux, charmant prolongement des remparts de la vieille forteresse où je te mènerai tout à l'heure.

Le 15 août

Le 15 août est une fête catholique célébrant l'Assomption, la montée de la Vierge Marie au Ciel, portée par les anges. À cette occasion, l'Église organise des messes et des processions dans les rues.

1. Célèbre.
2. Ceux qui doutent.
3. Désobéissance.

Par une naturelle révolution[4] de l'esprit public, la vertu d'Isidore, bafouée[5] jusqu'à ce jour, était devenue soudain respectable et enviée depuis qu'elle devait lui rapporter 500 francs, plus un livret de caisse d'épargne, une montagne de considération et de la gloire à revendre. Les filles maintenant regrettaient leur légèreté, leurs rires, leurs allures libres ; et Isidore, bien que toujours modeste et timide, avait pris un petit air satisfait qui disait sa joie intérieure.

370

Dès la veille du 15 août, toute la rue Dauphine était pavoisée[6] de drapeaux. Ah ! j'ai oublié de te dire à la suite de quel événement cette voie avait été appelée rue Dauphine.

Il paraîtrait que la Dauphine[7], une dauphine, je ne sais plus laquelle, visitant Gisors, avait été tenue si longtemps en représentation par les autorités, que, au milieu d'une promenade triomphale à travers la ville, elle arrêta le cortège devant une des maisons de cette rue et s'écria : « Oh ! la jolie habitation, comme je voudrais la visiter ! À qui donc appartient-elle ? » On lui nomma le propriétaire, qui fut cherché, trouvé et amené, confus[8] et glorieux, devant la princesse.

380

Elle descendit de voiture, entra dans la maison, prétendit la connaître du haut en bas et resta même enfermée quelques instants seule dans une chambre.

Quand elle ressortit, le peuple, flatté de l'honneur fait à un citoyen de Gisors, hurla : « Vive la Dauphine ! » Mais une chansonnette fut rimée[9] par un farceur, et la rue garda le nom de l'altesse royale, car :

390

La princesse très pressée,
Sans cloche, prêtre ou bedeau[10],

4. Changement.
5. Moquée.
6. Ornée.
7. Femme du Dauphin, héritier de la couronne de France.
8. Gêné.
9. Mise en vers.
10. Employé qui s'occupe de l'entretien d'une église.

L'avait, avec un peu d'eau,
Baptisée.

Mais je reviens à Isidore.

On avait jeté des fleurs tout le long du parcours du
400 cortège, comme on fait aux processions de la Fête-Dieu[1], et la garde nationale[2] était sur pied, sous les ordres de son chef, le commandant Desbarres, un vieux solide de la Grande Armée[3], qui montrait avec orgueil, à côté du cadre contenant la croix d'honneur donnée par l'empereur lui-même, la barbe d'un cosaque[4] cueillie d'un seul coup de sabre au menton de son propriétaire par le commandant, pendant la retraite de Russie.

Le corps qu'il commandait était d'ailleurs un corps d'élite[5] célèbre dans toute la province, et la compagnie des
410 grenadiers[6] de Gisors se voyait appelée à toutes les fêtes mémorables dans un rayon de quinze à vingt lieues[7]. On raconte que le roi Louis-Philippe, passant en revue les milices[8] de l'Eure, s'arrêta émerveillé devant la compagnie de Gisors, et s'écria : « Oh ! quels sont ces beaux grenadiers ?

– Ceux de Gisors, répondit le général.

– J'aurais dû m'en douter », murmura le roi.

Le commandant Desbarres s'en vint donc avec ses hommes, musique en tête, chercher Isidore dans la boutique de sa mère.

420 Après un petit air joué sous ses fenêtres, le Rosier lui-même apparut sur le seuil.

Il était vêtu de coutil[9] blanc des pieds à la tête, et coiffé d'un chapeau de paille qui portait, comme cocarde[10], un petit bouquet de fleurs d'oranger.

Cette question du costume avait beaucoup inquiété Mme Husson, qui hésita longtemps entre la veste noire

1. Fête religieuse.
2. Troupe chargée du maintien de l'ordre.
3. Nom donné à l'armée de Napoléon Ier.
4. Cavalier de l'armée russe.
5. Une troupe de grande qualité.
6. Soldats d'élite souvent de haute taille.
7. 1 lieue ≈ 4,45 km.
8. Troupes de citoyens-soldats.
9. Tissu épais.
10. Insigne rond.

des premiers communiants[11] et le complet[12] tout à fait blanc. Mais Françoise, sa conseillère, la décida pour le complet blanc en faisant voir que le Rosier aurait l'air d'un cygne.

Derrière lui parut sa protectrice, sa marraine, Mme Husson triomphante. Elle prit son bras pour sortir, et le maire se plaça de l'autre côté du Rosier. Les tambours battaient. Le commandant Desbarres commanda : « Présentez armes ! » Le cortège se remit en marche vers l'église, au milieu d'un immense concours[13] de peuple venu de toutes les communes voisines.

Après une courte messe et une allocution[14] touchante de l'abbé Malou, on repartit vers les Couronneaux où le banquet[15] était servi sous une tente.

Avant de se mettre à table, le maire prit la parole. Voici son discours textuel[16]. Je l'ai appris par cœur, car il est beau :

« Jeune homme, une femme de bien, aimée des pauvres et respectée des riches, Mme Husson, que le pays tout entier remercie ici, par ma voix, a eu la pensée, l'heureuse et bienfaisante pensée, de fonder en cette ville un prix de vertu qui serait un précieux encouragement offert aux habitants de cette belle contrée[17].

« Vous êtes, jeune homme, le premier élu, le premier couronné de cette dynastie de la sagesse et de la chasteté. Votre nom restera en tête de cette liste des plus méritants ; et il faudra que votre vie, comprenez-le bien, que votre vie tout entière réponde à cet heureux commencement. Aujourd'hui, en face de cette noble femme qui récompense votre conduite, en face de ces soldats-citoyens qui ont pris les armes en votre honneur, en face de cette

430

440

450

11. Enfants qui communient pour la première fois.
12. Costume masculin comprenant veston, pantalon et gilet.
13. Rassemblement.
14. Un discours.
15. Repas de fête.
16. Mot pour mot.
17. Région.

population émue, réunie pour vous acclamer, ou plutôt pour acclamer en vous la vertu, vous contractez l'engagement solennel envers la ville, envers nous tous, de donner jusqu'à votre mort l'excellent exemple de votre jeunesse.

« Ne l'oubliez point, jeune homme. Vous êtes la première graine jetée dans ce champ de l'espérance, donnez-nous les fruits que nous attendons de vous. »

Le maire fit trois pas, ouvrit les bras et serra contre son cœur Isidore qui sanglotait.

Il sanglotait, le Rosier, sans savoir pourquoi, d'émotion confuse, d'orgueil, d'attendrissement vague et joyeux.

Puis le maire lui mit dans une main une bourse de soie où sonnait de l'or, cinq cents francs en or !... et dans l'autre un livret de caisse d'épargne. Et il prononça d'une voix solennelle : « Hommage, gloire et richesse à la vertu. »

Le commandant Desbarres hurlait : « Bravo ! » Les grenadiers vociféraient[1], le peuple applaudit.

À son tour, Mme Husson s'essuya les yeux.

Puis on prit place autour de la table où le banquet était servi.

Il fut interminable et magnifique. Les plats suivaient les plats ; le cidre jaune et le vin rouge fraternisaient dans les verres voisins et se mêlaient dans les estomacs. Les chocs d'assiettes, les voix et la musique qui jouait en sourdine faisaient une rumeur continue, profonde, s'éparpillant dans le ciel clair où volaient les hirondelles. Mme Husson rajustait par moments sa perruque de soie noire chavirée[2] sur une oreille et causait avec l'abbé Malou. Le maire, excité, parlait politique avec le commandant Desbarres, et Isidore mangeait, Isidore buvait, comme il n'avait jamais bu et mangé ! Il prenait et reprenait de tout, s'apercevant pour

1. Hurlaient.
2. Basculée.

la première fois qu'il est doux de sentir son ventre s'emplir de bonnes choses qui font plaisir d'abord en passant dans la bouche. Il avait desserré adroitement la boucle de son pantalon qui le serrait sous la pression croissante de son bedon[3], et silencieux, un peu inquiété cependant par une tache de vin tombée sur son veston de coutil, il cessait de mâcher pour porter son verre à sa bouche, et l'y garder le plus possible, car il goûtait avec lenteur.

L'heure des toasts[4] sonna. Ils furent nombreux et très applaudis. Le soir venait ; on était à table depuis midi. Déjà flottaient dans la vallée les vapeurs fines et laiteuses[5], léger vêtement de nuit des ruisseaux et des prairies ; le soleil touchait à l'horizon ; les vaches beuglaient au loin dans les brumes des pâturages. C'était fini : on redescendait vers Gisors. Le cortège, rompu maintenant, marchait en débandade[6]. Mme Husson avait pris le bras d'Isidore et lui faisait des recommandations nombreuses, pressantes, excellentes.

Ils s'arrêtèrent devant la porte de la fruitière, et le Rosier fut laissé chez sa mère.

Elle n'était point rentrée. Invitée par sa famille à célébrer aussi le triomphe de son fils, elle avait déjeuné chez sa sœur, après avoir suivi le cortège jusqu'à la tente du banquet.

Donc Isidore resta seul dans la boutique où pénétrait la nuit.

Il s'assit sur une chaise, agité par le vin et par l'orgueil, et regarda autour de lui. Les carottes, les choux, les oignons répandaient dans la pièce fermée leur forte senteur de légumes, leurs arômes jardiniers et rudes, auxquels

490 500 510

3. Ventre.
4. Verres bus en l'honneur d'un événement ou de quelqu'un.
5. Blanchâtres.
6. De façon dispersée.

se mêlaient une douce et pénétrante odeur de fraises et le parfum léger, le parfum fuyant[1] d'une corbeille de pêches.

Le Rosier en prit une et la mangea à pleines dents, bien qu'il eût le ventre rond comme une citrouille. Puis tout à coup, affolé de joie, il se mit à danser ; et quelque chose sonna dans sa veste.

Il fut surpris, enfonça ses mains en ses poches et ramena la bourse aux cinq cents francs qu'il avait oubliée dans son ivresse ! Cinq cents francs ! quelle fortune ! Il versa les louis[2] sur le comptoir et les étala d'une lente caresse de sa main grande ouverte pour les voir tous en même temps. Il y en avait vingt-cinq, vingt-cinq pièces rondes, en or ! toutes en or ! Elles brillaient sur le bois dans l'ombre épaissie, et il les comptait et les recomptait, posant le doigt sur chacune et murmurant : « Une, deux, trois, quatre, cinq, – cent ; – six, sept, huit, neuf, dix, – deux cents » ; puis il les remit dans la bourse qu'il cacha de nouveau dans sa poche.

Qui saura et qui pourrait dire le combat terrible livré dans l'âme du Rosier entre le mal et le bien, l'attaque tumultueuse[3] de Satan[4], ses ruses, les tentations qu'il jeta en ce cœur timide et vierge[5] ? Quelles suggestions, quelles images, quelles convoitises[6] inventa le Malin pour émouvoir et perdre cet élu ? Il saisit son chapeau, l'élu de Mme Husson, son chapeau qui portait encore le petit bouquet de fleurs d'oranger, et, sortant par la ruelle derrière la maison, il disparut dans la nuit.

La fruitière Virginie, prévenue que son fils était rentré, revint presque aussitôt et trouva la maison vide. Elle attendit, sans s'étonner d'abord ; puis, au bout d'un quart d'heure, elle s'informa. Les voisins de la rue Dauphine avaient vu entrer Isidore et ne l'avaient point vu ressortir.

1. Discret.
2. Pièces d'or.
3. Violente.
4. Du Diable.
5. Pur.
6. Tentations.

Donc on le chercha : on ne le découvrit point. La fruitière, inquiète, courut à la mairie : le maire ne savait rien, sinon qu'il avait laissé le Rosier devant sa porte. Mme Husson venait de se coucher quand on l'avertit que son protégé avait disparu. Elle remit aussitôt sa perruque, se leva et vint elle-même chez Virginie. Virginie, dont l'âme populaire[7] avait l'émotion rapide, pleurait toutes ses larmes au milieu de ses choux, de ses carottes et de ses oignons. 550

On craignait un accident. Lequel ? Le commandant Desbarres prévint la gendarmerie qui fit une ronde autour de la ville ; et on trouva, sur la route de Pontoise[8], le petit bouquet de fleurs d'oranger. Il fut placé sur une table autour de laquelle délibéraient[9] les autorités. Le Rosier avait dû être victime d'une ruse, d'une machination, d'une jalousie ; mais comment ? Quel moyen avait-on employé pour enlever cet innocent, et dans quel but ? 560

Lasses[10] de chercher sans trouver, les autorités se couchèrent, Virginie seule veilla dans les larmes.

Or, le lendemain soir, quand passa, à son retour, la diligence[11] de Paris, Gisors apprit avec stupeur que son Rosier avait arrêté la voiture à deux cents mètres du pays, était monté, avait payé sa place en donnant un louis dont on lui remit la monnaie, et qu'il était descendu tranquillement dans le cœur de la grande ville. 570

L'émotion devint considérable dans le pays. Des lettres furent échangées entre le maire et le chef de la police parisienne, mais n'amenèrent aucune découverte.

Les jours suivaient les jours, la semaine s'écoula.

Or, un matin, le Dr Barbesol, sorti de bonne heure, aperçut, assis sur le seuil d'une porte, un homme vêtu de toile grise, et qui dormait la tête contre le mur. Il s'approcha 580

7. Simple.
8. Ville de l'Oise, à une trentaine de kilomètres de Paris.
9. Discutaient.
10. Fatiguées.
11. Voiture à cheval qui transporte des voyageurs.

et reconnut Isidore. Voulant le réveiller, il n'y put parvenir. L'ex-Rosier dormait d'un sommeil profond, invincible[1], inquiétant, et le médecin, surpris, alla requérir[2] de l'aide afin de porter le jeune homme à la pharmacie Boncheval. Lorsqu'on le souleva, une bouteille vide apparut, cachée sous lui, et, l'ayant flairée, le docteur déclara qu'elle avait contenu de l'eau-de-vie. C'était un indice qui servit pour les soins à donner. Ils réussirent. Isidore était ivre, ivre et abruti par huit jours de soûlerie[3], ivre et dégoûtant à n'être pas touché par un chiffonnier[4]. Son beau costume de coutil blanc était devenu une loque[5] grise, jaune, graisseuse, fangeuse[6], déchiquetée, ignoble; et sa personne sentait toutes sortes d'odeurs d'égout, de ruisseau et de vice.

590

Il fut lavé, sermonné[7], enfermé, et pendant quatre jours ne sortit point. Il semblait honteux et repentant[8]. On n'avait retrouvé sur lui ni la bourse aux cinq cents francs, ni le livret de caisse d'épargne, ni même sa montre d'argent, héritage sacré laissé par son père le fruitier.

Le cinquième jour, il se risqua dans la rue Dauphine. Les regards curieux le suivaient et il allait le long des maisons la tête basse, les yeux fuyants. On le perdit de vue à la sortie du pays vers la vallée; mais deux heures plus tard il reparut, ricanant et se heurtant aux murs. Il était ivre, complètement ivre.

600

Rien ne le corrigea.

Chassé par sa mère, il devint charretier[9] et conduisit les voitures de charbon de la maison Pougrisel, qui existe encore aujourd'hui.

Sa réputation d'ivrogne devint si grande, s'étendit si loin, qu'à Évreux[10] même on parlait du Rosier de Mme Husson, et les pochards[11] du pays ont conservé ce surnom.

610

1. Contre lequel on ne peut pas lutter.
2. Chercher.
3. D'ivresse.
4. Personne qui ramasse les vieux chiffons (ici, synonyme d'homme sale).
5. Vêtement en très mauvais état.
6. Pleine de boue.
7. Grondé.
8. Plein de regret.
9. Conducteur de charrette.
10. Chef-lieu du département de l'Eure.
11. Ivrognes.

Un bienfait[12] n'est jamais perdu.

Le Dr Marambot se frottait les mains en terminant son histoire. Je lui demandai :

« As-tu connu le Rosier, toi ?

– Oui, j'ai eu l'honneur de lui fermer les yeux.

– De quoi est-il mort ?

– Dans une crise de *delirium tremens*[13], naturellement. »

Nous étions arrivés près de la vieille forteresse, amas de murailles ruinées que dominent l'énorme tour Saint-Thomas de Cantorbéry et la tour dite du Prisonnier.

Marambot me conta l'histoire de ce prisonnier qui, au moyen d'un clou, couvrit de sculptures les murs de son cachot, en suivant les mouvements du soleil à travers la fente étroite d'une meurtrière.

Puis j'appris que Clotaire II[14] avait donné le patrimoine[15] de Gisors à son cousin saint Romain, évêque de Rouen, que Gisors cessa d'être la capitale de tout le Vexin[16] après le traité de Saint-Clair-sur-Epte, que la ville est le premier point stratégique de toute cette partie de la France, et qu'elle fut, par suite de cet avantage, prise et reprise un nombre infini de fois. Sur l'ordre de Guillaume le Roux, le célèbre ingénieur Robert de Bellesme y construisit une puissante forteresse attaquée plus tard par Louis le Gros, puis par les barons normands, défendue par Robert de Candos, cédée enfin à Louis le Gros par Geoffroy Plantagenêt, reprise par les Anglais à la suite d'une trahison des Templiers, disputée entre Philippe Auguste et Richard Cœur de Lion, brûlée par Édouard III d'Angleterre qui ne put prendre le château, enlevée de nouveau par les Anglais en 1419, rendue plus tard à Charles VII par Richard de Marbury, prise par le duc de

620

630

640

Les Templiers

Ordre militaire et religieux fondé au XIIe siècle. Durant les croisades, ils étaient l'avant-garde des armées chrétiennes ; leur puissance et leurs richesses étaient considérables. Philippe le Bel les fit tous massacrer. Leur grand maître Jacques de Molay mourut en 1314 sur le bûcher.

12. Une bonne action.
13. Mots latins : délire accompagné de tremblements, propre aux alcooliques.
14. Roi des Francs. Tous les noms de ce paragraphe désignent des personnages historiques, ducs de Normandie, rois de France, d'Angleterre, etc.
15. L'héritage.
16. Région autour de Gisors.

Calabre, occupée par la Ligue[1], habitée par Henri IV, etc., etc., etc.

Et Marambot, convaincu, presque éloquent[2], répétait :

« Quels gueux, ces Anglais !!! Et quels pochards, mon cher ; tous Rosiers, ces hypocrites-là ! »

Puis après un silence, tendant son bras vers la mince rivière qui brillait dans la prairie :

650 « Savais-tu qu'Henry Monnier[3] fut un des pêcheurs les plus assidus des bords de l'Epte[4] ?

– Non, je ne savais pas.

– Et Bouffé[5], mon cher, Bouffé a été ici peintre vitrier.

– Allons donc !

– Mais oui. Comment peux-tu ignorer ces choses-là ? »

1. Union visant à renverser le roi de France (XVIe siècle).
2. Persuasif.
3. Dramaturge, caricaturiste et acteur du XIXe siècle.
4. Fleuve traversant la Normandie.
5. Auteur et acteur comique, célèbre au XIXe siècle.

Pause lecture 4

Les dessous de Gisors

L'art du conteur

Avez-vous bien lu ?

Pourquoi Mme Husson choisit-elle un garçon ?

- ❑ C'est son voisin.
- ❑ Françoise l'aime bien.
- ❑ Aucune jeune fille n'est à ses yeux digne d'être rosière.

Un double récit

1 Qui est Isidore ? À Gisors, quel type de personnes appelle-t-on « Rosier » depuis Isidore ?

2 Qui dit « je » aux lignes 1 et 241 ? Quelle scène permet de passer d'un récit à l'autre ?

Le récit cadre

3 Pourquoi la rivalité entre Gisors et Gournay est-elle racontée ?

4 Quel jugement le docteur Marambot porte-t-il sur Gisors ? Que traduit l'expression « un si joli caractère provincial » (l. 145-146) ? Quelle est l'opinion du narrateur ?

L'histoire d'Isidore

5 Le récit est annoncé comme « très drôle » (l. 236). Est-ce le cas ?

6 Expliquez la morale que tire le docteur Marambot à la fin de son récit.

Jeux de miroirs

Avez-vous bien lu ?

Où sont passés les 25 louis d'Isidore ?

❏ Il les a perdus.
❏ Il les a dépensés pour boire.
❏ Il les a donnés à l'église.

Le règne du double

1 Où Isidore a-t-il disparu pendant une semaine ? De quoi ce lieu est-il le symbole ?

2 Comparez les descriptions des deux ivrognes (l. 210 à 226 et l. 579 à 593). En quoi la première est-elle comique, la seconde inquiétante ?

3 Montrez que le repas offert par Marambot s'oppose en tout point au banquet du Rosier (quantité, boisson, goût...). Que découvre Isidore à l'occasion de ce banquet ? En quoi est-il à l'opposé de Marambot ?

Des portraits savoureux

4 Relevez une accumulation et une gradation dans le portrait de Mme Husson. Pourquoi le narrateur insiste-t-il sur sa perruque ?

5 Quelle expression humoristique résume la candeur d'Isidore (l. 320 à 333) ?

Une initiation à l'envers

6 Dans la fête du Rosier (l. 431 à 506), relevez les allusions au sacré. Montrez que le discours du maire a toutes les caractéristiques d'un sermon : solennité, langage imagé, vocabulaire moral.

La gourmandise des mots

Avez-vous bien lu ?

Pourquoi Marambot semble-t-il avoir 45 ans ?

❑ Il est fatigué.

❑ Son métier de médecin l'a usé avant l'âge.

❑ Sa gourmandise l'a fait beaucoup grossir.

Les jeux d'échos

1 Quelle est la dernière célébrité citée par le docteur Marambot à la fin de la nouvelle ? Commentez ce nom.

2 À quel fruit biblique fait penser la pêche que mange Isidore à son retour chez lui ? Pourquoi le rapprochement est-il significatif ?

3 À quel animal Isidore est-il comparé (l. 422 à 430) ? De quoi est-il le symbole ? Que signifie son dernier chant ?

L'ivresse des mots

4 Quels procédés d'insistance sont employés lignes 588-589 ? Que mettent-ils en valeur ?

Les malices de l'auteur

5 Qu'incarne le docteur Marambot ? Quel regard Raoul Aubertin porte- t-il sur son ami ? De qui ce Parisien est-il le porte-parole ?

Vers l'expression

Vocabulaire

1. Le train, symbole de la modernité, est évoqué au début de la nouvelle. Quelle figure de style est employée (l. 5 à 9) ?

2. Dans les lignes 422 à 430, Isidore est comparé à un cygne, symbole de pureté. Depuis La Fontaine, les animaux sont souvent associés à des traits de caractère. Sur une feuille à part, reliez l'animal et ce qu'il symbolise.

renard	méchanceté
loup	puissance
paon	ruse
lion	insouciance
cigale	vanité

À vous de jouer

Rédigez une lettre

À Paris, Isidore découvre une nouvelle façon de vivre. Il écrit à sa mère Virginie et lui raconte sa première journée dans la capitale. Vous respecterez le caractère naïf du personnage et sa candeur, qui seront sources de comique.

Imaginez une mise en scène

Établissez une liste des personnages présents lors du banquet donné en l'honneur du Rosier. Distribuez les rôles (la vieille bigote et sa perruque de travers, le curé bavard, le Rosier s'empiffrant...) et mimez la scène du banquet champêtre.

Du texte à l'image

Observez l'affiche → voir dossier images p. IV

Affiche pour *Le Rosier de Mme Husson*, film de Jean Boyer, 1950.

1 Décrivez le costume du personnage. Observez le chapeau et le pantalon. En quoi sont-ils un peu ridicules ?

2 Comment le dessin met-il en valeur la naïveté et la timidité du personnage ?

3 Quel rôle joue le pot de fleurs ? À quel élément du récit de Maupassant renvoie-t-il ?

4 Quelles sont les deux couleurs dominantes de l'affiche ? Que symbolisent-elles ? Sont-elles fidèles au récit ?

Vers le brevet

Au brevet,
l'épreuve de français est sur 40 points.
Première partie
Questions : 15 points
Réécriture : 5 points
Dictée : 5 points
Seconde partie
Rédaction : 15 points

Questions sur *Histoire d'une fille de ferme*,
l. 352 à 433, p. 26 à 28

Questions (15 points)

1. Une demande en mariage (6 points)

1 Quelles qualités de Rose le fermier souligne-t-il ? (2 points)

2 **a.** Remplacez le groupe « ne sachant plus que dire » (l. 378) par une proposition subordonnée de même sens dont vous indiquerez la fonction. (1 point)
b. Pourquoi le fermier est-il surpris du silence de Rose ? (1 point)

3 **a.** Rose explique-t-elle son refus d'épouser le fermier ? Pour quelle raison ? (1 point)
b. Comment le fermier réagit-il ? Montrez que leur relation est marquée par l'inégalité. (1 point)

2. L'expression des sentiments (4,5 points)

4 **a.** Quels sont les différents types de phrases employés par le fermier pour parler à Rose ? (1 point)
b. Expliquez ce que traduit chacun d'entre eux. (1 point)

5 **a.** Quels sont les différents sentiments qu'éprouve Rose ? (1 point)
b. Par quelle figure de style le narrateur fait-il comprendre ce qu'elle ressent juste après la demande en mariage ? (0,5 point)
c. Montrez que le trouble de Rose se traduit physiquement. (1 point)

3. Les interventions du narrateur (4,5 points)

6 **a.** Quel est le temps dominant des lignes 405 à 411 ? (1 point)

b. Quelle est la valeur de ce temps ? (1 point)

c. Qui parle ici ? (0,5 point)

7 **a.** Comment la discussion entre le fermier et Rose est-elle rapportée ? (0,5 point)

b. Dans quel langage s'expriment les deux personnages ? Justifiez votre réponse par des exemples pris dans le texte. (0,5 point)

c. Quel est l'effet produit par cette façon de parler ? (1 point)

Réécriture (5 points)

« [...] le lendemain [...] la plus belle dot du pays. » (l. 400 à 404).
Transformez ce texte en monologue du fermier, en effectuant toutes les modifications nécessaires. Vous commencerez votre réécriture par : « Je suis sûr(e) que... ».

Rédaction (15 points)

Imaginez que le soir même de la demande en mariage du fermier, Jacques, le valet de ferme, revient. Rose doit choisir entre le maître et le père de son enfant. Que fera-t-elle ?
Vous raconterez les hésitations de Rose et vous expliquerez clairement la décision qu'elle prend.

Après la lecture

Genre

La nouvelle réaliste

Thème

Le paysan normand

Genre

La nouvelle réaliste

◆ Petite histoire de la nouvelle

Le mot nouvelle vient de l'italien *novella* signifiant « récit imaginaire ». En français, le terme désigne **un récit bref** : la brièveté distingue la nouvelle du roman. Jusqu'au XIXe siècle, la nouvelle se confond souvent avec le conte.

> *« La nouvelle est faite pour être lue en une fois. »*

Elle trouve à cette époque sa spécificité : elle s'écarte du merveilleux et prend une orientation réaliste ou fantastique.

Le XIXe siècle voit l'essor du genre, et tous les grands romanciers écriront des nouvelles, souvent publiées dans les journaux. Au XXe siècle, les nouvelles touchent un large public, grâce aux textes de l'écrivain italien Dino Buzzati, des Argentins Jorge Luis Borges et Julio Cortázar, ou de l'Américain Ray Bradbury, par exemple.

◆ Les caractéristiques du genre

« La nouvelle [...] est faite pour être lue d'un coup, en une fois », écrit André Gide. Elle est en effet construite sur le resserrementdu temps, de l'espace, des personnages et de l'intrigue.

La durée de l'action est généralement courte : la tragique mésaventure de maître Hauchecorne n'excède pas quelques mois, l'histoire d'Isidore quelques jours. Lorsque le temps s'étire, les ellipses narratives rythment le texte comme « L'enfant allait avoir huit mois » puis « Des années passèrent » dans *Histoire d'une fille de ferme*.

Les personnages sont saisis dans un moment important de leur vie, ce qui dramatise le récit : un mariage, une récompense, une rencontre imprévue...

L'espace est parfois clos (la chambre des fermiers dans *Histoire d'une fille de ferme*) ou fait office de piège, comme le pas de porte dans *La Ficelle*.

Les personnages sont peu nombreux (un trio amoureux, deux rivaux en affaires, un paysan patriote...).

La nouvelle est enfin centrée sur une seule intrigue dont les éléments sont dénoués dans une chute, une fin inattendue et brutale : le crachat du père Milon, la joie du fermier décidant d'adopter le fils naturel de sa femme, la mort du héros...

◆ La représentation sociale

Liée à la presse, la nouvelle réaliste du XIXe siècle trouve son inspiration dans les **faits divers** et l'observation de la société. Maupassant puise la matière de ses nouvelles normandes dans cette région qu'il connaît bien pour y avoir passé son enfance, et dans laquelle il revient très souvent. Le milieu social détermine la psychologie de ses personnages : le paysan est moqueur, rusé, dur à l'ouvrage, têtu et rancunier. Maupassant transcrit phonétiquement leur façon de parler.

Ce **parti pris réaliste** tient de l'engagement personnel. Selon Maupassant, « le réaliste cherchera, non pas à nous donner une photographie banale de la vie, mais à nous en donner une vision plus complète, plus saisissante, [...] que la réalité même ». C'est dans ce regard tour à tour amusé, ironique, mélancolique, cruel et toujours vif, qu'il faut chercher la véritable force de ces nouvelles normandes. ■

« La nouvelle réaliste trouve son inspiration dans l'observation de la société. »

◆ Maupassant et la Normandie

Maupassant a écrit environ trois cents nouvelles ; les paysans jouent un rôle essentiel dans quarante-cinq d'entre elles. Il faut dire que l'auteur connaissait bien ces personnages, en particulier ceux du pays de Caux, puisqu'il a passé toute son enfance dans cette région et qu'il y revient fréquemment, même quand il habite à Paris.

◆ Un monde isolé

La France de la fin du XIXe siècle est encore essentiellement rurale. Maupassant décrit **une société paysanne fermée sur elle-même**, encore très isolée. Certes le train dessert la Normandie ; depuis 1860 une ligne a été ouverte pour relier Paris à Cherbourg. Ainsi, c'est à l'occasion d'une panne de locomotive que, dans *Le Rosier de Madame Husson*, le premier narrateur retrouve à Gisors son vieil ami, le docteur Marambot. Toutefois les paysans normands se déplacent surtout localement pour aller au marché, comme en témoigne les premières lignes du *Père Milon*. Les événements politiques touchent peu cette société conservatrice, à l'exception notable de la guerre de 1870. Certaines nouvelles comme *La Mère Sauvage* ou *Le Père Milon* racontent la résistance que certains paysans ont opposé à l'envahisseur prussien.

« Une société paysanne fermée sur elle-même »

Cet isolement se traduit linguistiquement par un maniement approximatif de la langue française : erreur sur les mots (« vaque » pour « vache »), erreur de conjugaison (« je sommes quittes »), déformation des sons (« I m'a vu ramasser c'te ficelle-là, m'sieur le maire »).

◆ Un monde hiérarchisé

Dans ces nouvelles, Maupassant montre un monde paysan structuré par une hiérarchie sociale à trois étages :

- au sommet, les propriétaires non exploitants, bourgeois et aristocrates qui souvent n'habitent pas sur leurs terres ;
- au milieu, les fermiers, comme celui qui devient le mari de Rose, dans *Histoire d'une fille de ferme* ou maître Hauchecorne dans *La Ficelle* ;
- en bas, les ouvriers agricoles qui ne possèdent pas de terres, mais s'engagent pour une période donnée dans une exploitation. Jacques, le premier amant de Rose, et l'héroïne elle-même avant son mariage, appartiennent à cette catégorie qui travaille dur, dès l'enfance, sans aller à l'école. Ainsi ni Rose ni sa mère ne savent lire.

◆ Le regard de Maupassant

Maupassant porte **un regard à la fois sévère et amusé** sur le monde paysan.

Il souligne le caractère buté de certains ruraux, comme le père Milon qui répond à l'officier allemand « avec son air abruti de paysan » (l. 88, p. 51), avec une « impassibilité de brute » (l. 100-101, p. 52). Le paysan est, selon le nouvelliste, âpre au gain : maître Hauchecorne, « économe en vrai Normand » (l. 44, p. 68) ramasse, pour son malheur, un bout de ficelle car il pense « que tout était bon à ramasser qui peut servir » (l. 44-45, p. 68). L'avarice n'est jamais loin ; le père Milon l'explique clairement à l'officier prussien : « Vous, et pi vos soldats, vous m'aviez pris pour pus de chinquante écus de fourrage avec une vaque et deux moutons. Je me dis : tant qu'i me prendront de fois vingt écus, tant que je leur y revaudrai ça. » (l. 119 à 123, p. 52). Telle est la première justification qu'il donne aux meurtres qu'il a accomplis.

« Un regard à la fois sévère et amusé »

Toutefois à aucun moment n'apparaît la moindre trace de mépris dans le regard que Maupassant porte sur les paysans normands. Il les montre tels qu'ils sont, dans « leur humble vérité », sans les condamner. ■

Autre lecture

Guy de Maupassant

Pierrot

1882

texte intégrall

Découvrez une autre nouvelle normande
où l'avarice le dispute au sordide.

Felix, Gladys et Rover, photographie d'Elliott Erwitt, New York, 1974.

Pierrot

À Henri Roujon[1]

MME LEFÈVRE ÉTAIT UNE DAME DE CAMPAGNE, une veuve, une de ces demi paysannes à rubans et à chapeaux à falbalas[2], de ces personnes qui parlent avec des cuirs[3], prennent en public des airs grandioses, et cachent une âme de brute prétentieuse sous des dehors comiques et chamarrés[4], comme elles dissimulent leurs grosses mains rouges sous des gants de soie écrue[5].

Elle avait pour servante une brave campagnarde toute simple, nommée Rose.

Les deux femmes habitaient une petite maison à volets verts, le long d'une route, en Normandie, au centre du pays de Caux[6].

Comme elles possédaient, devant l'habitation, un étroit jardin, elles cultivaient quelques légumes.

Or, une nuit, on lui vola une douzaine d'oignons.

Dès que Rose s'aperçut du larcin[7], elle courut prévenir Madame, qui descendit en jupe de laine.

Ce fut une désolation et une terreur. On avait volé, volé Mme Lefèvre ! Donc, on volait dans le pays, puis on pouvait revenir.

Et les deux femmes effarées[8] contemplaient les traces de pas, bavardaient, supposaient des choses : « Tenez, ils ont passé par là. Ils ont mis leurs pieds sur le mur ; ils ont sauté dans la plate-bande. »

Et elles s'épouvantaient pour l'avenir. Comment dormir tranquilles maintenant !

1. Journaliste et poète, ami de Maupassant.
2. Surchargés et de mauvais goût.
3. En faisant des fautes de liaison.
4. Colorés.
5. Beige.
6. Région littorale de la Manche, autour du Havre.
7. Vol.
8. Stupéfaites.

Le bruit du vol se répandit. Les voisins arrivèrent, constatèrent, discutèrent à leur tour ; et les deux femmes expliquaient à chaque nouveau venu leurs observations et leurs idées.

Un fermier d'à côté leur offrit ce conseil : « Vous devriez avoir un chien. »

C'était vrai, cela ; elles devraient avoir un chien, quand ce ne serait que pour donner l'éveil. Pas un gros chien, Seigneur ! Que feraient-elles d'un gros chien ! Il les ruinerait en nourriture. Mais un petit chien (en Normandie, on prononce *quin*), un petit freluquet[1] de *quin* qui jappe[2].

Dès que tout le monde fut parti, Mme Lefèvre discuta longtemps cette idée de chien. Elle faisait, après réflexion, mille objections, terrifiée par l'image d'une jatte[3] pleine de pâtée ; car elle était de cette race parcimonieuse[4] de dames campagnardes qui portent toujours des centimes dans leur poche pour faire l'aumône[5] ostensiblement[6] aux pauvres des chemins, et donner aux quêtes du dimanche.

Rose, qui aimait les bêtes, apporta ses raisons et les défendit avec astuce. Donc il fut décidé qu'on aurait un chien, un tout petit chien.

On se mit à sa recherche, mais on n'en trouvait que des grands, des avaleurs de soupe à faire frémir. L'épicier de Rolleville en avait bien un, tout petit ; mais il exigeait qu'on le lui payât deux francs, pour couvrir ses frais d'élevage. Mme Lefèvre déclara qu'elle voulait bien nourrir un « quin », mais qu'elle n'en achèterait pas.

Or, le boulanger, qui savait les événements, apporta, un matin, dans sa voiture, un étrange petit animal tout

1. Jeune chiot (*péjoratif*).
2. Aboie de façon aiguë.
3. Un gros bol.
4. Économe.
5. Donner de l'argent aux pauvres.
6. De façon visible.

jaune, presque sans pattes, avec un corps de crocodile, une tête de renard et une queue en trompette, un vrai panache, grand comme tout le reste de sa personne. Un client cherchait à s'en défaire. Mme Lefèvre trouva fort beau ce roquet immonde, qui ne coûtait rien. Rose l'embrassa, puis demanda comment on le nommait. Le boulanger répondit : « Pierrot. »

Il fut installé dans une vieille caisse à savon et on lui offrit d'abord de l'eau à boire. Il but. On lui présenta ensuite un morceau de pain. Il mangea. Mme Lefèvre, inquiète, eut une idée : « Quand il sera bien accoutumé à la maison, on le laissera libre. Il trouvera à manger en rôdant par le pays. »

On le laissa libre, en effet, ce qui ne l'empêcha point d'être affamé. Il ne jappait d'ailleurs que pour réclamer sa pitance[7] ; mais, dans ce cas, il jappait avec acharnement.

Tout le monde pouvait entrer dans le jardin. Pierrot allait caresser chaque nouveau venu, et demeurait absolument muet.

Mme Lefèvre cependant s'était accoutumée à cette bête. Elle en arrivait même à l'aimer, et à lui donner de sa main, de temps en temps, des bouchées de pain trempées dans la sauce de son fricot[8].

Mais elle n'avait nullement songé à l'impôt[9], et quand on lui réclama huit francs, – huit francs, Madame ! – pour ce freluquet de *quin* qui ne jappait seulement point, elle faillit s'évanouir de saisissement[10].

Il fut immédiatement décidé qu'on se débarrasserait de Pierrot. Personne n'en voulut. Tous les habitants le

7. Nourriture.
8. Sa viande en sauce.
9. Taxe obligatoire payée à l'époque par tous les propriétaires de chiens.
10. D'émotion.

refusèrent à dix lieues[1] aux environs. Alors on se résolut[2], faute d'autre moyen, à lui faire « piquer du mas ».

90 « Piquer du mas », c'est « manger de la marne ». On fait piquer du mas à tous les chiens dont on veut se débarrasser.

Au milieu d'une vaste plaine, on aperçoit une espèce de hutte, ou plutôt un tout petit toit de chaume, posé sur le sol. C'est l'entrée de la marnière[3]. Un grand puits tout droit s'enfonce jusqu'à vingt mètres sous terre, pour aboutir à une série de longues galeries de mines.

On descend une fois par an dans cette carrière, à 100 l'époque où l'on marne les terres. Tout le reste du temps elle sert de cimetière aux chiens condamnés ; et souvent, quand on passe auprès de l'orifice[4], des hurlements plaintifs, des aboiements furieux ou désespérés, des appels lamentables montent jusqu'à vous.

Les chiens des chasseurs et des bergers s'enfuient avec épouvante des abords de ce trou gémissant ; et, quand on se penche au-dessus, il sort une abominable odeur de pourriture.

Des drames affreux s'y accomplissent dans l'ombre.

110 Quand une bête agonise depuis dix à douze jours dans le fond, nourrie par les restes immondes de ses devanciers, un nouvel animal, plus gros, plus vigoureux certainement, est précipité tout à coup. Ils sont là, seuls, affamés, les yeux luisants. Ils se guettent, se suivent, hésitent, anxieux. Mais la faim les presse ; ils s'attaquent, luttent longtemps, acharnés ; et le plus fort mange le plus faible, le dévore vivant.

1. Environ 40 km.
2. Décida.
3. Carrière de marne : mélange d'argile et de calcaire qui servait à engraisser la terre.
4. Du trou.

Quand il fut décidé qu'on ferait « piquer du mas » à Pierrot, on s'enquit[5] d'un exécuteur. Le cantonnier[6] qui binait[7] la route demanda dix sous pour la course. Cela parut follement exagéré à Mme Lefèvre. Le goujat[8] du voisin se contentait de cinq sous ; c'était trop encore ; et, Rose ayant fait observer qu'il valait mieux qu'elles le portassent elles-mêmes, parce qu'ainsi il ne serait pas brutalisé en route et averti de son sort, il fut résolu qu'elles iraient toutes les deux à la nuit tombante. 120

On lui offrit, ce soir-là, une bonne soupe avec un doigt de beurre. Il l'avala jusqu'à la dernière goutte ; et, comme il remuait la queue de contentement, Rose le prit dans son tablier. 130

Elles allaient à grands pas, comme des maraudeuses[9], à travers la plaine. Bientôt elles aperçurent la marnière et l'atteignirent ; Mme Lefèvre se pencha pour écouter si aucune bête ne gémissait. – Non – il n'y en avait pas ; Pierrot serait seul. Alors Rose, qui pleurait, l'embrassa, puis le lança dans le trou ; et elles se penchèrent toutes deux, l'oreille tendue.

Elles entendirent d'abord un bruit sourd ; puis la plainte aiguë, déchirante, d'une bête blessée, puis une succession de petits cris de douleur, puis des appels désespérés, des supplications de chien qui implorait, la tête levée vers l'ouverture. 140

Il jappait, oh ! il jappait !

Elles furent saisies de remords, d'épouvante, d'une peur folle et inexplicable ; et elles se sauvèrent en courant. Et, comme Rose allait plus vite, Mme Lefèvre criait : « Attendez-moi, Rose, attendez-moi ! »

Leur nuit fut hantée de cauchemars épouvantables.

5. Chercha.
6. Ouvrier qui travaille à l'entretien des routes.
7. Retournait la terre pour l'aérer.
8. L'apprenti.
9. Voleuses.

Mme Lefèvre rêva qu'elle s'asseyait à table pour manger la soupe, mais, quand elle découvrait la soupière, Pierrot était dedans. Il s'élançait et la mordait au nez.

Elle se réveilla et crut l'entendre japper encore. Elle écouta ; elle s'était trompée.

Elle s'endormit de nouveau et se trouva sur une grande route, une route interminable, qu'elle suivait. Tout à coup, au milieu du chemin, elle aperçut un panier, un grand panier de fermier, abandonné ; et ce panier lui faisait peur.

Elle finissait cependant par l'ouvrir, et Pierrot, blotti dedans, lui saisissait la main, ne la lâchait plus ; et elle se sauvait éperdue, portant ainsi au bout du bras le chien suspendu, la gueule serrée.

Au petit jour, elle se leva, presque folle, et courut à la marnière.

Il jappait ; il jappait encore, il avait jappé toute la nuit. Elle se mit à sangloter et l'appela avec mille petits noms caressants. Il répondit avec toutes les inflexions[1] tendres de sa voix de chien.

Alors elle voulut le revoir, se promettant de le rendre heureux jusqu'à sa mort.

Elle courut chez le puisatier[2] chargé de l'extraction[3] de la marne, et elle lui raconta son cas. L'homme écoutait sans rien dire. Quand elle eut fini, il prononça : « Vous voulez votre quin ? Ce sera quatre francs. »

Elle eut un sursaut ; toute sa douleur s'envola du coup.

« Quatre francs ! vous vous en feriez mourir ! quatre francs ! »

Il répondit : « Vous croyez que j'vas apporter mes cordes, mes manivelles, et monter tout ça, et m'en aller

1. Accents.
2. Ouvrier qui creuse des puits.
3. Fait d'enlever, d'arracher.

là-bas avec mon garçon et m'faire mordre encore par votre maudit quin, pour l'plaisir de vous le r'donner? fallait pas l'jeter. »

Elle s'en alla, indignée. – Quatre francs!

Aussitôt rentrée, elle appela Rose et lui dit les prétentions du puisatier. Rose, toujours résignée, répétait: « Quatre francs! c'est de l'argent, madame. »

Puis, elle ajouta: « Si on lui jetait à manger, à ce pauvre quin, pour qu'il ne meure pas comme ça? »

Mme Lefèvre approuva, toute joyeuse; et les voilà reparties, avec un gros morceau de pain beurré.

Elles le coupèrent par bouchées qu'elles lançaient l'une après l'autre, parlant tour à tour à Pierrot. Et sitôt que le chien avait achevé un morceau, il jappait pour réclamer le suivant.

Elles revinrent le soir, puis le lendemain, tous les jours. Mais elles ne faisaient plus qu'un voyage.

Or, un matin, au moment de laisser tomber la première bouchée, elles entendirent tout à coup un aboiement formidable dans le puits. Ils étaient deux! On avait précipité un autre chien, un gros!

Rose cria: « Pierrot! » Et Pierrot jappa, jappa. Alors on se mit à jeter la nourriture; mais, chaque fois elles distinguaient parfaitement une bousculade terrible, puis les cris plaintifs de Pierrot mordu par son compagnon, qui mangeait tout, étant le plus fort.

Elles avaient beau spécifier: « C'est pour toi, Pierrot! » Pierrot, évidemment, n'avait rien.

Les deux femmes, interdites[1], se regardaient; et Mme Lefèvre prononça d'un ton aigre[2]: « Je ne peux pourtant

1. Stupéfaites.
2. Acide.

210 pas nourrir tous les chiens qu'on jettera là-dedans. Il faut y renoncer. »

Et, suffoquée à l'idée de tous ces chiens vivant à ses dépens[1], elle s'en alla, emportant même ce qui restait du pain qu'elle se mit à manger en marchant.

Rose la suivit en s'essuyant les yeux du coin de son tablier bleu.

1. À ses frais, grâce à la nourriture qu'elle apportait.

Ci-contre :
Tarna, le chien japonais, Pierre-Auguste Renoir, huile sur toile, 1876.

À lire

D'autres récits normands

Maurice Leblanc, *Les Aventures d'Arsène Lupin,* 1907-1935
Les aventures du célèbre gentleman-cambrioleur se déroulent souvent en Normandie : à Étretat, à Tancarville, à Jumièges...

Gustave Flaubert, *Trois Contes*, 1877
Retrouvez une autre servante au grand cœur, courageuse et solitaire dans « Un cœur simple ».

D'autres œuvres réalistes de Maupassant

Boule de suif, 1880
En 1870, un petit groupe de voyageurs se retrouve à la merci d'un officier prussien têtu et tout-puissant. Les bourgeois, le démocrate, la fille de joie, les religieuses pourront-ils s'unir afin de sortir de l'impasse ?

Les Contes de la bécasse, 1883
Le vieux baron des Ravots, paralysé des jambes, ne peut plus s'adonner à son plaisir favori : la chasse à la bécasse. Pourtant il invite chaque automne ses anciens compagnons de chasse qui doivent gagner un bien étrange dessert...

Bel-Ami, 1885
L'ascension fulgurante de Georges Duroy, beau parleur et ambitieux, nous permet de plonger dans les coulisses de la société de cette fin de siècle, où jeux de séduction et de pouvoir se mêlent.

À voir

Maupassant en films

- ***Partie de campagne*, Jean Renoir,** 1946

Par une belle journée d'été de 1860, la famille Dufour se rend à la campagne : les parents, la fille Henriette et son futur époux. Après le déjeuner, les hommes pêchent et les femmes font un tour en barque. Pourquoi Henriette est-elle si troublée ?

- ***Histoire vraie*, Claude Santelli,** 1973

Comment obliger une maîtresse à vous quitter ? M. de Varnetot croit avoir trouvé la solution en mariant Rose à un paysan.

- ***Chez Maupassant, Contes et nouvelles, I et II*,** 2007-2008

Seize nouvelles mises en images par différents réalisateurs, dont *Histoire d'une fille de ferme* et *Le Rosier de Mme Husson*.

- ***Un cœur simple*, Marion Laine,** 2008

Une adaptation du conte de Flaubert : Félicité vit en Normandie. Domestique aimante, elle consacre sa vie aux autres et s'attache tour à tour à la fille de sa maîtresse, à son neveu marin et finalement... à un perroquet !

Table des illustrations

Conception graphique : Julie Lannes
Design de couverture : Denis Hoch
Recherche iconographique : Chantal Hanoteau
Mise en page : ScienTech Livre
Correction : Sylvie Porté
Édition : Françoise Laurent
Coordination éditoriale : Marion Noesser
Direction éditoriale : Marie-Hélène Tournadre

COLLÈGE

65. **Bédier**, *Le Roman de Tristan et Iseut*
51. **Courteline**, *Le gendarme est sans pitié*
38. **Dumas**, *Les Frères corses*
71. **Feydeau**, *Un fil à la patte*
67. **Gautier**, *La Morte amoureuse*
1. **Homère**, *L'Odyssée*
29. **Hugo**, *Le Dernier Jour d'un condamné*
2. **La Fontaine**, *Le Loup dans les Fables*
3. **Leprince de Beaumont**, *La Belle et la Bête*
10. **Maupassant**, *Boule de suif*
26. **Maupassant**, *La Folie dans les nouvelles fantastiques*
43. **Maupassant**, 4 nouvelles normandes (*anthologie*)
62. **Mérimée**, *Carmen*
11. **Mérimée**, *La Vénus d'Ille*
68. **Molière**, *George Dandin*
7. **Molière**, *L'Avare*
23. **Molière**, *Le Bourgeois gentilhomme*
58. **Molière**, *Le Malade imaginaire*
70. **Molière**, *Le Médecin malgré lui*
52. **Molière**, *Le Sicilien*
36. **Molière**, *Les Fourberies de Scapin*
28. **Musset**, *Il ne faut jurer de rien*
6. **Nicodème**, *Wiggins et le perroquet muet*
21. **Noguès**, *Le Faucon déniché*
59. **Perrault**, 3 contes (anthologie)
8. **Pouchkine**, *La Dame de pique*
12. **Radiguet**, *Le Diable au corps*
39. **Rostand**, *Cyrano de Bergerac*
24. **Simenon**, *L'Affaire Saint-Fiacre*
9. **Stevenson**, *Le Cas étrange du Dr Jekyll et de M. Hyde*
54. **Tolstoï**, *Enfance*
61. **Verne**, *Un hivernage dans les glaces*
25. **Voltaire**, *Le Monde comme il va*
53. **Zola**, *Nantas*
42. **Zweig**, *Le Joueur d'échecs*
4. *La Farce du cuvier* (anonyme)
37. *Le Roman de Renart* (anonyme)
5. Quatre fabliaux du Moyen Âge (*anthologie*)
41. Les textes fondateurs (*anthologie*)
22. 3 contes sur la curiosité (*anthologie*)
40. 3 meurtres en chambre close (*anthologie*)
44. 4 contes de sorcières (*anthologie*)
27. 4 nouvelles réalistes sur l'argent (*anthologie*)
64. *Ali Baba et les 40 voleurs*

LYCÉE

33. **Balzac**, *Gobseck*
60. **Balzac**, *L'Auberge rouge*
47. **Balzac**, *La Duchesse de Langeais*
18. **Balzac**, *Le Chef-d'œuvre inconnu*
72. **Balzac**, *Pierre Grassou*
34. **Barbey d'Aurevilly**, *Le Bonheur dans le crime*
32. **Beaumarchais**, *Le Mariage de Figaro*
20. **Corneille**, *Le Cid*
56. **Flaubert**, *Un cœur simple*
49. **Hugo**, *Ruy Blas*
57. **Marivaux**, *Les Acteurs de bonne foi*
48. **Marivaux**, *L'Île des esclaves*
19. **Maupassant**, *La Maison Tellier*
69. **Maupassant**, *Une partie de campagne*
55. **Molière**, *Amphitryon*
15. **Molière**, *Dom Juan*
35. **Molière**, *Le Tartuffe*
63. **Musset**, *Les Caprices de Marianne*
14. **Musset**, *On ne badine pas avec l'amour*
46. **Racine**, *Andromaque*
66. **Racine**, *Britannicus*
30. **Racine**, *Phèdre*
13. **Rimbaud**, *Illuminations*
50. **Verlaine**, *Fêtes galantes*, *Romances sans paroles*
45. **Voltaire**, *Candide*
17. **Voltaire**, *Micromégas*
31. *L'Encyclopédie* (anthologie)
16. Traits et portraits du XVIIe siècle (*anthologie*)

N° d'éditeur : 10202825 - Dépôt légal : Janvier 2014
Imprimé en France par I.M.E - 25110 Baume-les-Dames